I. S. B. N. 2-900219-05-1

# LA VIE IMPERSONNELLE

# LA VIE IMPERSONNELLE

*d'après la Traduction de Hélène BARON*

---

SEPTIÈME ÉDITION

LIBRAIRIE "ASTRA"
10, RUE ROCHAMBEAU, 10
PARIS-9e

## AVERTISSEMENT

*Le Message que nous apporte « LA VIE IMPERSONNELLE » est destiné à tous ceux qui recherchent sincèrement la « VERITE » en dehors de toutes ingérences extérieures.*

*Ainsi, cet Appel Intérieur nous est communiqué pour que nous prenions conscience de la réalité qui est en nous et de ce que représente à notre entendement le « JE SUIS » c'est-à-dire le « MOI » réel ou divin.*

*Si l'on prend bien soin de méditer sur les enseignements émanant de ce Message et sur l'Esprit qui les animent on ne tardera pas à réaliser le sens profond et glorieux qu'Il apporte à tous ceux qui reconnaissent « CHRIST » comme le Maître incontesté de leur conscience intime.*

*Pour parvenir à cette Réalisation il importe de rendre réceptifs son âme et son cœur aux vibrations harmonieuses qui se dégagent de cet*

*Appel Intérieur par l'exclusion de toutes croyances et opinions personnelles erronées, lesquelles sont autant d'entraves à l'illumination spirituelle.*

*C'est la raison pour laquelle ce Message s'adresse non seulement au « toi » personnel, mais évoque aussi cet autre « TOI » Attribut Divin Impersonnel, bien différent du premier en ce sens qu'Il représente l'Homme Parfait et Immortel conçu à l'Image de Dieu et à sa Ressemblance.*

*Il est donc nécessaire de bien saisir la nuance qui distingue le « MOI » Impersonnel du moi personnel. Le premier en tant qu'Attribut Parfait s'identifie avec le Divin, tandis que l'autre appartient à la personnalité propre et, comme tel, n'est que l'instrument ou moyen d'expression par lequel cet Attribut Divin cherche à Se manifester.*

# INTRODUCTION

Afin que tu puisses mieux comprendre les vérités vitales et profondes contenues dans ce Message, je t'exhorte, frère lecteur, à te préparer à cette lecture avec un esprit calme et recueilli, le rendant réceptif. Ainsi donc, apaise ton intellect et invite ton « Moi » à te donner Ses instructions. Ne lis qu'une sentence à la fois. Ne passe à la suivante que lorsque quelque chose au-dedans de toi aura répondu à la vérité énoncée en ce que tu lis et te fera comprendre clairement la signification que cette vérité contient pour toi.

Mais, avant tout, tâche de te rendre compte que le Moi qui parle dans ce Message est l'Esprit interne, ton propre Esprit, ton intime « Moi » Impersonnel, ce que Tu es *réellement* ; ce même Moi intime qui, dans tes moments de quiétude te montre tes erreurs, tes misères et tes faiblesses, qui t'avertit constamment de vivre selon

Son Idéal qu'Il maintient, sans cesse, devant ta vision mentale.

C'est précisément à un esprit ainsi recueilli que ce Message interne fut révélé après des mois remplis du désir ardent de recevoir une directive spirituelle, de trouver une opportunité de servir le Père Aimant, reconnu toujours présent et toujours prêt à combler de Ses bienfaits ceux de Ses enfants qui L'aiment suffisamment, pour Lui donner la première place dans leur cœur et dans leur vie.

L'aide et les directives ainsi reçues te sont communiquées ici pour qu'à ton tour tu puisses les recevoir, car, ce sage et affectueux enseignement est si exceptionnel et tellement Impersonnel, qu'il convient également à chacun de ceux qui sont disposés à le recevoir.

Un des grands bienfaits que ce Message peut te donner est que, SI TU ES DEJA PREPARE, le « Moi » qui parle continuera à t'instruire directement, du plus profond de toi-même, après que tu auras mis le livre de côté, et ceci, Il le fera d'une manière si intime, si cordiale et si convaincante, qu'Il dissipera tous tes doutes et sera pour toi une source inépuisable de Sagesse et de Force, qui répandra sur toi, Paix, Santé,

Bonheur, Liberté et une abondance de tout ce que ton cœur désire.

Le but de ce Message est donc de servir de Voie, ou de porte ouverte par laquelle tu pourras entrer dans la Joie de ton Seigneur, l'Esprit de Sagesse promis par Jésus, l'expression vivante en toi, du CHRIST, ou la Conscience de DIEU.

« ...Le Consolateur qui est l'Es-
« prit de Vérité, que le Père en-
« verra en Mon Nom, vous en-
« seignera toutes choses et vous
« remettra en mémoire toutes
« celles que Je vous ai dites... ».

Saint Jean, chap. 14, verset 26.

## — I —

## JE SUIS

1\. — A toi, qui lis, *Je parle.*

2\. — A toi qui, pendant de longues années, as cherché, ça et là, t'efforçant de trouver dans les livres et dans les enseignements, dans les philosophies et dans les religions : la VERITE, le BONHEUR, la LIBERTE, DIEU — sans savoir exactement ce que tu cherchais.

3\. — A toi, dont l'âme est lasse, découragée et presque dénuée de tout espoir,

4\. — A toi, qui souvent as perçu une lueur de cette « Vérité » qui s'évanouissait devant toi, comme un mirage du désert, quand tu essayais de la poursuivre et de l'atteindre,

5\. — A toi, qui avais cru l'avoir trouvée dans certain être élevé, et peut-être reconnu comme Maître de quelque Communauté, de Fraternité ou de Religion, par la merveilleuse doctrine qu'il enseignait et les œuvres qu'il accomplissait... Mais, tu as dû te rendre compte, plus tard, que ce « Maître » n'était qu'une personnalité humaine comme la tienne, avec ses imperfections, ses faiblesses, et ses défauts cachés, bien que cette personnalité ait servi de moyen pour la divulgation des merveilleux enseignements qui te semblèrent être la plus haute « Vérité ».

6. — Te voici donc, âme indigente, ne sachant à qui recourir :

7. — A toi, JE SUIS Celui qui vient.

8. — Et, de même, Je viens à vous tous, qui avez commencé à *sentir* la présence de cette VERITE au fond de vous-mêmes, de ce qui cherche depuis si longtemps à s'exprimer d'une façon vivante en vous.

9. — Oui, à vous tous qui êtes affamés du vrai « Pain de Vie », JE SUIS CELUI QUI VIENT.

10. — Es-tu disposé à en prendre part ?

11. — S'il en est ainsi, réveille-toi et apaise-toi. Calme ton esprit humain et obéis, point par point, à Ma Parole ici énoncée, car, sinon, tu t'éloigneras, encore une fois déçu et, au lieu de la satisfaction d'un besoin impérieux, ton cœur sentira le vide.

12. — MOI !

13. — Qui suis-Je ?

14. — Moi, qui parle avec une telle connaissance et une telle autorité.

15. — Ecoute !

16. — JE SUIS Toi, cette partie de toi qui EST et SAIT,

17. — QUI SAIT TOUTES CHOSES,

18. — *Et qui toujours sut et qui toujours fut.*

19. — Oui, JE SUIS Toi, ton Moi intime ; cette partie de toi qui dit : JE SUIS ! et c'est MOI qui SUIS.

20. — Cette partie de toi la plus intime et supérieure qui s'éveille au-dedans de toi, à mesure que tu lis, et répond à Ma Parole, percevant Sa Vérité, celle qui reconnaît toute Vérité et rejette toute erreur, en quelque lieu qu'elle soit ; et, non pas cette partie de toi qui s'est nourrie de l'erreur pendant tant d'années.

21. — Car, Je Suis ton vrai Précepteur, le seul réel que tu devras connaître et le seul Maître et Seigneur ;

22. — Moi, qui Suis ton Moi Divin.

23. — Moi — ton JE SUIS, Je t'apporte ce Message, — Ma Parole vivante, comme Je t'ai tout donné dans la vie, que ce soient des livres ou des

« Maîtres », la pauvreté ou la richesse, des expériences amères, ou de l'amour, pour te montrer que Moi, et Moi seul, ton propre et véritable intime Moi, JE SUIS ton Maître, ton unique Maître, et ton unique Dieu, Celui qui te donne et t'a toujours donné, non seulement le Pain et le Vin de Vie, mais aussi toutes les choses nécessaires à ta subsistance physique, à ton développement tant mental que spirituel.

24. — Donc, tout ce qui attire ton attention lorsque tu lis, est Mon Message s'adressant au-dedans de toi à ta conscience (1) humaine. Il n'est que la confirmation de ce que le JE SUIS en toi a toujours su, intérieurement, mais qu'Il n'avait pas encore communiqué à ta conscience extérieure, en termes clairs et précis.

25. — De même, tout ce qui a jamais attiré ton attention sur quelque expression corporelle, n'a été que la confirmation de Ma Parole déjà exprimée au-dedans de toi. Cette expression corporelle ayant servi de canal ou de moyen choisi

---

(1) Le mot « conscience » est ici employé dans le sens de condition lucide de connaissance et non dans celui de « notion de bien ou de mal » qu'il comporte également.

par Moi, en cette occasion, pour arriver à impressionner ta conscience humaine et personnelle.

26. — Cependant, ce JE SUIS n'est pas ton esprit humain, ni son fils, l'intellect.

27. — Ceux-ci ne sont que l'expression de *ton* être, comme Tu es l'expression de *Mon* Etre ; ils ne sont autre chose que des phases de ta personnalité humaine, comme Tu es une phase de Ma Divine Impersonnalité.

28. — Pèse et étudie soigneusement ces paroles.

29. — Lève-toi et délivre-toi de la domination de ta personnalité, dont l'esprit et l'intellect orgueilleux sont aptes à se glorifier eux-mêmes. Délivre-toi d'elle une fois pour toutes.

30. — Car, désormais, si tu veux que Ma Parole pénètre dans ta conscience intérieure, ton esprit humain doit être ton serviteur et l'intellect ton esclave.

31. — JE SUIS Celui qui maintenant vient à ta conscience spirituelle que J'ai éveillée, la préparant expressément, pour la perception de Ma Parole.

32. — Si donc, tu es assez fort pour la comprendre,

33. — Si tu peux éliminer toutes tes illusions, tes croyances et tes opinions personnelles qui ne sont que des débris rejetés par d'autres et recueillis par toi,

34. — Si tu es assez fort pour te défaire de tout cela,

35. — Alors, Ma Parole sera pour toi une source inépuisable de joies et de bienfaits.

36. — Mais, prépare-toi à ce que ta personnalité doute de Ma Parole, à mesure que tu lis.

37. — Car, elle sait que sa propre vie est menacée. Elle ne pourra plus vivre et s'épanouir, ni dominer plus longtemps tes pensées, tes sentiments, ta vie journalière, comme autrefois, si tu ouvres ton cœur à Ma Parole et Lui permets d'y demeurer pour toujours.

38. — Oui, JE SUIS Celui qui vient à toi maintenant,

39. — Pour te rendre conscient de Ma Présence.

40. — Car, j'ai également préparé ta mentalité humaine afin que, jusqu'à un certain point, tu puisses comprendre Ma Signification.

41. — J'ai toujours été avec toi, mais tu ne M'as pas reconnu.

42. — A dessein, Je t'ai conduit à travers le

désert des livres et des enseignements, des religions et des philosophies, en maintenant toujours devant ton regard la vision de la Terre Promise,

43. — Te nourrissant de la manne du désert, pour que tu puisses te rappeler, apprécier et désirer ardemment, le Pain de l'Esprit.

44. — Je t'ai maintenant amené au bord du Jourdain qui te sépare de ton Divin Héritage.

45. — A présent, le temps est venu pour toi de Me connaître consciemment. Le temps est venu pour toi de te diriger vers la Terre de Chanaan, la terre du Lait et du Miel.

46. — Es-tu prêt ?

47. — Désires-tu y entrer ?

48. — Alors, *Suis* Ma Parole qui est l'Arche de Mon Alliance et tu passeras à pieds secs.

— II —

## APAISE-TOI ET SACHE

1. — Maintenant, afin qu'il te soit possible d'apprendre à Me connaître et pour que tu sois bien sûr que c'est Moi, ton propre, intime et vrai Moi qui dit ces paroles, tu dois, premièrement, apprendre à *t'APAISER,* à calmer ton esprit et ton corps humains et toutes leurs activités, de sorte que tu perdes toute conscience d'eux.

2. — Peut-être n'es-tu pas encore en état de le faire.

3. — Alors Je te montrerai comment y arriver, si vraiment tu désires Me connaître et si tu es disposé à l'essayer par ta confiance en Moi et ton obéissance en tout ce que, dès maintenant, Je t'ordonnerai de faire.

4. — Ecoute attentivement !

5. — Essaie d'imaginer mentalement, que le Moi qui parle ici, en ces pages, est ton intime Moi, le plus Elevé et le plus Divin, qui exhorte et dirige ton esprit et ton intellect humains, que tu dois considérer, pour le moment, comme étant une personnalité distincte, ou séparée, de toi. Ton esprit humain est constitué de telle manière qu'il ne peut rien accepter qui ne soit conforme à ce qu'il a expérimenté ou appris jusqu'alors et que ton intellect ne considère comme raisonnable.

Ainsi, en t'adressant à lui, tu emploies, précisément, les termes et les expressions qui expliquent le plus clairement à ton intellect, la vérité qu'il doit comprendre, avant que ton esprit puisse s'éveiller à la compréhension de ce que tu veux exprimer.

6. — La vérité est que ce JE SUIS est toimême, ton intime et vrai Moi. Jusqu'à présent ton esprit humain a été à tel point absorbé par la tâche de fournir à ton intellect et à ton corps toutes sortes de satisfactions égoïstes que, jamais, il n'a pu trouver le temps de se lier à ton *Moi réel,* son véritable Seigneur et Maître. Au lieu de cela, tu t'es tellement intéressé aux plaisirs de ton corps et de ton intellect, et laissé

affecter par leurs souffrances, que tu en es venu à croire que Toi, tu *es* ton intellect et ton corps. En conséquence, tu M'as oublié, Moi, ton Moi Intime et Divin.

7. — Je ne Suis pas ton corps, ni ton intellect ; ce Message vient t'apprendre que Toi et Moi sommes Un. Les paroles que Je prononce ici ont pour but principal de te rendre conscient de cette grande Vérité.

8. — Mais toi, tu ne pourras saisir cette grande Vérité que lorsque tu te délivreras de la conscience de ce corps et de cet intellect que tu crois être et dont tu as été esclave si longtemps. Tu dois *Me sentir au plus profond de toi-même* avant que tu puisses savoir que JE SUIS là.

9. — Maintenant, afin que tu puisses arriver à faire abstraction totale de ton esprit et de ses pensées, de ton corps et de ses sensations, pour que tu puisses Me sentir au-dedans de toi-même, il est nécessaire que tu obéisses et suives assidûment Mes instructions ci-après.

10. — Assieds-toi et détends-toi, sans faire aucun mouvement, recherche la position qui détende ton corps, tes muscles. Quand tu te sentiras complètement reposé, détendu, décontracté,

pénètre-toi mentalement du sens de ces paroles :

11. — « Apaise-toi ! — et Sache, — JE SUIS — Dieu ».

12. — *Sans penser,* pénètre-toi de ce Commandement Divin, jusqu'au plus profond de toi-même. Laisse entrer librement, sans aucun effort ou intervention de ta part, les impressions qui te viendront à l'esprit, quelles qu'elles soient. Note avec soin leur importance, car, c'est Moi qui, du fond de toi-même, t'instruis au moyen de ces impressions. Alors, quand une partie de leur signification vitale commencera à poindre à ta conscience, répète Mes Paroles, lentement, impérativement, à chaque cellule de ton corps, à chaque faculté de ton esprit, de tout le pouvoir conscient dont tu es capable :

13. — « Apaise-toi ! — et Sache, — JE SUIS — Dieu ».

14. — Répète-les exactement comme elles sont écrites ici, en essayant de réaliser que la Conscience de Dieu, en toi, exige de ta conscience humaine et mortelle une obéissance implicite.

15. — Médite-les profondément. Cherche jusqu'à ce que tu découvres en elles une puissance secrète.

16. — Approfondis-les, prends-les avec toi, à ton travail, quel qu'il soit. Fais-en le facteur vital et principal de ton labeur, dans toutes tes pensées créatrices.

17. — Dis-les mille fois par jour,

18. — Jusqu'à ce que tu aies pénétré Mon sens le plus secret,

19. — Jusqu'à ce que chaque cellule de ton corps tressaille, répondant joyeusement au commandement « Apaise-toi ! » et obéisse instantanément,

20. — Jusqu'à ce que toute pensée errante, voltigeant autour de ton esprit, se dissolve et s'évanouisse.

21. — Alors, à mesure que les Paroles se répercutent jusqu'aux profondeurs de tout ton être, maintenant dépouillé de ton moi personnel,

22. — Alors, selon que le Soleil de la Connaissance commencera à se lever à l'horizon de ta conscience,

23. — Tu te sentiras gonflé d'un étrange et merveilleux souffle vital qui envahira tous tes membres, les faisant regorger par l'extase qu'il te causera. Dès lors, ondes après ondes, surgira en toi un Pouvoir irrésistible et puissant qui te soulèvera jusqu'à t'enlever de terre et tu sentiras

au-dedans de toi la Gloire, la Sainteté, la Majesté de Ma Présence.

24. — Et alors,... *alors* tu *sauras* que JE SUIS — DIEU !

25. — Lorsque tu M'auras *senti* ainsi en toi, en de tels moments, quand tu auras goûté de Mon Pouvoir, compris Ma Sagesse et connu l'Extase de Mon Amour qui embrasse tout, aucune maladie ne pourra plus t'atteindre, aucune circonstance t'affaiblir, ni aucun ennemi te vaincre. Car, maintenant tu *sais* que JE SUIS au-dedans de toi-même et à l'avenir, toujours, tu recourras à Moi, dans tes besoins, en plaçant toute ta confiance en Moi et tu Me laisseras manifester Ma Volonté.

26. — Et, quand tu recourras ainsi à Moi, tu trouveras toujours un recours infaillible et prêt à t'aider, chaque fois que tu en auras besoin. Car Je te ferai sentir Ma Présence et Mon Pouvoir de telle sorte que, pour atteindre quoi que ce soit, il te suffira de *t'apaiser* et de Me laisser faire ce que tu veux qui soit fait, tel que : guérir tes maux ou ceux des autres, illuminer ton esprit à un tel point que tu puisses voir avec Mes Yeux la Vérité que tu cherches, ou exécuter à

la perfection les travaux qu'autrefois, il te semblait impossible d'accomplir.

27. — Mais, cette Connaissance, ou cette Réalisation, par laquelle tu te rendras compte de la Réalité, de la Vérité ici expliquée, ne viendra pas immédiatement.

28. — Elle peut ne venir qu'après de longues années et, cependant, elle peut venir demain.

29. — Cela ne dépend de personne d'autre que de toi-même.

30. — Non pas de ta personnalité propre, ni de ses désirs et de son entendement humains,

31. — Mais de ton « Je Suis » qui est Dieu, au-dedans de toi.

32. — Quel est celui qui fait s'ouvrir le bourgeon ?

33. — Qui fait éclore le poussin ?

34. — Qui décide de l'heure et du jour ?

35. — C'est l'acte conscient et naturel de la Sagesse intérieure qui est en eux, par lequel Ma Sagesse, coopérant avec Ma Volonté, fait parvenir à maturité le fruit à Mon Idée qui se manifeste dans la fleur et dans le poussin.

36. — La fleur et le poussin décidèrent-ils quoi que ce soit par eux-mêmes ?

37. — Non, ils subordonnèrent et unirent leur

volonté à la Mienne et Me laissèrent, dans Ma Sagesse, déterminer *l'heure* opportune pour l'action. C'est seulement après qu'ils eurent obéi à l'impulsion de Ma Volonté pour faire l'effort nécessaire qu'ils purent entrer dans la Vie Nouvelle.

38. — Toi, avec ta personnalité, tu peux essayer mille et mille fois par toi seul de briser la coque de ta conscience humaine.

39. — Mais, en le supposant, tu arriveras seulement à la rupture des barrières que J'ai disposées entre le monde des formes tangibles et la région des rêves intangibles et, la porte étant ouverte, tu ne pourras longtemps éviter l'entrée des intrus dans ton domaine privé, sans beaucoup de difficultés et de souffrances.

40. — Cependant, même ceci, Je le permets, parfois, pour que par de telles souffrances tu obtiennes la force qui te manque et le discernement nécessaire pour savoir qu'il faut abandonner tout *désir* de connaissance, de bonté, et même d'union avec Moi, devant te procurer un avantage personnel ; sinon, tu ne pourras jamais épanouir tes pétales pour manifester Ma Beauté Parfaite, ni abandonner la coque de ta personnalité humaine, pour entrer dans la Lumière Glorieuse de Mon Royaume Céleste.

41. — C'est pourquoi, Je te donne ces instructions dès maintenant, afin que tu apprennes par quel moyen Me connaître.

42. — Car, ici-même, Je te promets que si tu persévères et t'efforces sincèrement à comprendre et à obéir à Mes Instructions qu'ici Je te donne, tu Me connaîtras bientôt. Je te ferai comprendre tout ce que Ma Parole contient, qu'Elle soit écrite, dans les livres ou dans les enseignements, dans la nature, ou dans l'homme, ton semblable.

43. — S'il est quelque chose qui te paraisse contradictoire dans ce qui est écrit ici, avant de le repousser, cherches-en le sens réel.

44. — Ne passe pas un seul paragraphe, ni une seule des pensées ici énoncées, sans avoir perçu clairement le sens de chacune d'elles, dans toute leur portée.

45. — Mais, que tous tes efforts et tes investigations soient faits avec foi et confiance en Moi, ton Vrai et Intime Moi. Ne t'impatiente pas. Ne t'inquiète pas des résultats car ceux-ci sont tous à Ma Garde et c'est Moi qui en prendrai soin. Tes doutes et tes inquiétudes ne viennent que de ta personnalité et, si tu leur permets de persister, ils te conduiront seulement à l'insuccès et au découragement.

## — III —

## MOI — LA VIE — DIEU

1. — Si ce que tu viens de lire a trouvé un écho au-dedans de toi et que, intérieurement, tu aspires à en connaître davantage, alors tu es prêt à recevoir ce qui suit.

2. — Mais, si tu doutes encore, ou si tu te révoltes contre l'autorité Divine de ce qui est écrit ici, si différente de ce dont te parle ton intellect, en te disant que tout ceci n'est qu'une nouvelle tentative pour s'emparer de ton esprit au moyen de suggestions astucieuses et de sophismes subtils, tu n'obtiendras aucun profit de ces paroles. Leur signification restera encore cachée à ta conscience mortelle et Ma Parole devra te parvenir par d'autres moyens d'expression.

3. — Or, c'est bien que ta personnalité avec son intellect te pousse à douter et à se ré-

volter contre une autorité que tu ne reconnais pas comme Mienne. Car, c'est Moi, en réalité qui incite ta personnalité à se révolter de la sorte, avec sa sensation orgueilleuse d'individualité ; elle M'est encore nécessaire, afin que Je puisse développer un esprit et un corps suffisamment forts pour pouvoir M'exprimer avec perfection. J'ai donc donné à ta personnalité la mission de douter et de se révolter ainsi, aussi longtemps que tu ne seras pas apte à Me connaître. Mais, aussitôt que tu auras reconnu Mon Autorité, la destruction de celle de ta personnalité commencera. Les jours de sa domination seront comptés et tu recourras à Moi, de plus en plus, pour que Je t'aide et te guide.

4. — Aussi, ne te décourage pas et continue à lire, en espérant que tu seras capable de connaître la Vérité. Mais sache que, lisant ou non, quoi que ce soit que tu choisisses ou, quoi que ce soit que tu décides, c'est réellement Moi qui choisis, et non toi.

5. — Pour toi qui apparemment, a opté de ne pas continuer à lire, J'ai d'autres desseins. En temps voulu, tu apprendras que Moi, Je Suis en tout ce que tu désires ou entreprends. Je te fais passer par toutes les illusions et les trom-

peries de la personnalité, pour que, finalement, tu puisses te rendre compte de leur irréalité et ainsi recourir à Moi, Me reconnaissant comme la seule et unique Réalité qui existe. C'est alors que les paroles qui suivent trouveront un écho audedans de toi :

6. — « Apaise-toi ! — et Sache — JE SUIS — Dieu ».

7. — Oui, Je Suis cette partie la plus secrète de toi qui réside au-dedans de toi, veillant et attendant avec calme, ne connaissant ni le temps, ni l'espace, car Je Suis l'Eternel et tout l'espace est rempli de Mon Etre.

8. — Je veille et J'attends que tu mettes fin à tes faiblesses humaines, à tes vains désirs, à tes ambitions et regrets, sachant que tout viendra en son temps. Alors tu viendras à Moi, las, découragé, humble et sans arrière-pensée et tu Me demanderas de te guider, ne comprenant pas que c'est Moi qui t'ai toujours guidé.

9. — Oui, Ma demeure est au-dedans de toi, où J'attends tranquillement que tout ce que Je viens de dire s'accomplisse. Cependant, tout en attendant ainsi, c'est Moi qui, réellement, ai dirigé tes pas. C'est Moi qui ai inspiré toutes tes pensées et tes actions, mettant à profit et diri-

geant, Impersonnellement, chacune d'elles, afin de t'amener finalement, toi et Mes autres expressions mortelles, à une reconnaissance définitive et consciente de Moi.

10. — J'ai toujours été au-dedans, au plus profond de toi. J'ai été avec toi dans tous les événements de ta vie, dans toutes tes joies et tes douleurs, dans tes succès et tes erreurs, tes mauvaises actions, dans ta honte, dans tes crimes contre ton frère et contre Dieu, comme tu l'as cru. Donc, soit que tu suives le droit chemin, soit que tu t'en écartes, ou que tu sois retourné en arrière, sache que c'est Moi qui te le fis faire ainsi.

11. — C'est Moi qui te poussai à marcher, te guidant par une faible lueur de Moi te permettant de l'apercevoir au loin, d'une façon confuse dans ta conscience.

12. — C'est Moi qui te détournai du droit chemin par la vision que Je te donnai de Moi dans quelque visage enchanteur, un beau corps, un plaisir enivrant, ou dans une ambition insatiable.

13. — C'est Moi qui t'apparus sous le vêtement du Péché, de la Faiblesse, de l'Envie, du Sophisme pour te rejeter dans les bras froids de la

Conscience (notion du bien ou du mal). Je t'y laissai te débattre dans une incertitude vague, jusqu'au jour où, te rendant compte de ton impuissance, tu te révoltas de dégoût et, inspiré par la nouvelle révélation, tu déchiras Mon Voile.

14. — Oui, c'est Moi qui te fais faire toutes ces choses, et si tu peux le comprendre, *c'est Moi qui fais tout ce que tu fais* et tout ce que ton frère fait, car, JE SUIS CELUI QUI EST en toi et en lui, c'est MOI-MEME.

15. — Parce que JE SUIS LA VIE.

16. — Je Suis Celui qui anime ton corps, qui fait penser ton esprit, battre ton cœur ; Je Suis Celui qui attire sur toi la douleur ou le plaisir, qu'ils soient de la chair, de l'intellect, ou des émotions.

17. — Je Suis ce que tu as de plus intime en toi. Je Suis la Cause qui anime ton être et toute vie, toutes les choses vivantes, tant visibles qu'invisibles. Il n'existe rien qui soit mort, car Moi, l'Un Impersonnel, Je Suis la Réalité Unique de tout ce qui est. Je Suis l'Infini et totalement illimité. L'Univers est Mon Corps ; toute Intelligence émane de Mon Esprit, tout Amour qui existe découle de Mon Cœur, tout Pou-

voir existant n'est autre que la manifestation de Ma Volonté en action.

18. — La Triple Force qui se manifeste comme toute Sagesse, tout Amour, et toute Puissance ou, si tu aimes mieux, comme Lumière, Chaleur et Energie, c'est-à-dire, ce qui maintient unies toutes les formes et ce qui est au fond et au-dedans de toutes les expressions et phases de vie quelles qu'elles soient : créatrices, cohésives ou destructives, n'est autre chose que la manifestation de Moi-Même en action ou en état d'Etre

19. — Il n'est rien qui ne soit une manifestation ou une expression de quelque phase de Moi. Je Suis, non seulement, le Constructeur de toutes les formes, mais encore, J'habite en chacune d'elles, comme au fond de chaque chose créée. J'habite dans le cœur de l'être humain, de l'animal, de la fleur, et dans le cœur de la pierre. Dans le cœur de chaque chose, Je vis, Je Me meus et J'ai Mon Etre. Du cœur de chaque chose J'extériorise cette phase de Moi que Je désire exprimer et qui se manifeste dans le monde matériel comme une pierre, une fleur, un animal, ou un être humain.

20. — Mais, Je t'entends demander : N'y a-t-il donc rien, ni personne, en dehors de ce grand

Moi ? Ne me sera-t-il pas permis d'avoir une individualité propre, à moi ?

21. — Non, il n'existe rien, absolument rien qui ne soit une partie de Ma propre Substance, gouvernée et régie éternellement par Moi, car, Je Suis l'Unique et Infinie Réalité.

22. — Quant à ta prétendue individualité, elle n'est rien de plus que ta personnalité qui cherche toujours à conserver son existence séparée de Moi.

23. — Mais, tu sauras bientôt qu'il n'existe pas d'autre individualité en dehors de Mon Individualité et que toute personnalité se fondra dans Mon IMPERSONNALITE DIVINE.

24. — Oui, tu arriveras bientôt à cet état de réveil, où tu percevras une lueur de Mon Impersonnalité. Tu ne désireras plus d'individualité pour toi-même, ni d'existence séparée de Moi, car tu te rendras compte qu'elles ne sont qu'une illusion de plus de ta personnalité.

## — IV —

## CONSCIENCE — INTELLIGENCE — VOLONTE

1. — Oui, Je sais la foule de pensées qui se sont embrouillées dans ton esprit pendant que tu lis : les doutes, les questions brûlantes, la crainte vague qui se change en un espoir grandissant que la simple lueur de Ma Signification, laquelle a commencé à pénétrer dans l'obscurité de ton intellect humain, fait luire plus brillamment, pour que tu puisses voir clairement la Vérité qu'instinctivement, tu pressens contenue dans Mes Paroles.

2. — Une fois de plus, Je te dis que ce « Je Suis » qui parle ici, est ton réel Moi. En lisant, tu dois te rendre compte qu'en réalité, c'est Toi, ton propre et intime Moi qui transmets ces paroles à ta conscience humaine, pour qu'elle comprenne pleinement leur signification.

3. — Je te répète également que ce même « Je Suis » est la Vie et l'Esprit qui animent toutes les choses vivantes dans l'Univers, depuis le plus petit atome jusqu'au plus grand soleil. Ce « Je Suis » est l'Intelligence en toi, en ton frère et en ta sœur, comme c'est également l'Intelligence qui fait vivre et croître toutes choses créées, pour devenir ce à quoi elles sont destinées.

4. — Mais, tu ne peux encore comprendre comment ce « Je Suis » peut être en même temps, le « Je Suis » de toi et le « Je Suis » de ton frère, et aussi, l'Intelligence qui est dans la pierre, la plante ou dans l'animal.

5. — Cependant, tu le comprendras, si tu es attentif à Mes Paroles et si tu obéis aux instructions que Je donne ici. Si tu continues à lire et t'efforces ardemment à comprendre Ma Signification, J'apporterai bientôt à ta conscience une Lumière qui illuminera les parties les plus secrètes de ton esprit, le libérant de toute cette foule de faux concepts, d'idées et d'opinions humaines qui, à présent, obscurcissent ton intellect.

6. — Donc, écoute, attentivement :

7. — Je Suis Toi, ton Vrai et Intime Moi. Je Suis tout ce que tu es réellement. Ce que tu crois être n'est pas ce que tu es. Car, ce que tu

crois être n'est qu'une illusion, une ombre de ton *Vrai Etre ;* ce Vrai Etre est Moi, ton Moi Intime, Divin et Immortel.

8. — Je Suis ce point focal de ta conscience qui, dans ton esprit humain, se nomme lui-même « Moi ». Je Suis ce Moi. Mais, ce que tu appelles « ta » conscience est, en réalité, *Ma* Conscience, quoique atténuée, pour qu'elle puisse s'adapter à la capacité de ton esprit humain. Mais, c'est encore *Ma* Conscience et, quand tu pourras chasser de ton esprit tous ses faux concepts, ses fausses idées et opinions humaines et l'en purifier entièrement, afin que Ma Conscience puisse s'y exprimer librement, alors, tu Me connaîtras. Tu sauras que ta personnalité n'est rien qu'un point focal de Ma Conscience, un conduit, ou un moyen, par lequel Je puis exprimer, extérieurement, dans la matière, Ma Signification.

9. — Cependant, tu ne peux encore concevoir ceci et, naturellement, tu ne pourras le croire si Je ne prépare d'abord ton esprit et convaincs ton intellect de sa vérité.

10. — On t'a dit que chaque cellule de ton corps possède une conscience et une intelligence propres et que, sans cette conscience, elle ne

pourrait faire le travail que si intelligemment elle exécute.

11. — Mais, chaque cellule est entourée de millions d'autres cellules. Chacune accomplit intelligemment son propre travail, évidemment dirigé par la conscience unie de toutes ces cellules qui forment une intelligence-groupe dominant et dirigeant ce travail. Cette intelligence-groupe est, apparemment, l'intelligence de l'organe que forment les cellules comprises en lui. De même, il y a d'autres intelligences-groupes en d'autres organes, chacune contenant des millions de cellules et tous ces organes forment ton corps physique.

12. — Tu sais maintenant que tu es l'être intelligent qui dirige le travail des organes de ton corps, que cette direction soit effective, consciente ou inconsciente, quant au mode d'exécution. Chaque cellule, chaque organe est, réellement, un point focal de cette Intelligence directrice. Lorsque cette Intelligence se retire définitivement de l'organisme, les cellules se séparent, ton corps physique meurt et cesse d'exister comme organisme vivant.

13. — Mais, qui est ce *Toi* qui dirige et contrôle les activités de tes organes et, par consé-

quent, celles de chacune des cellules qui les composent ?

14. — Tu ne peux pas dire que c'est ton « moi » humain, ou personnel, qui l'accomplit. Car personnellement, tu ne peux sans grande difficulté, contrôler consciemment l'action d'un seul organe de ton corps.

15. — Ce doit donc être ton « Je Suis » Impersonnel, qui est Toi, sans être cependant toi (dans le sens personnel).

16. — Ecoute !

17. — Toi, le « Je Suis » de toi, est à Moi ce que la conscience des cellules de ton corps est à ta conscience du « Je Suis ».

18. — Tu es, pour ainsi dire, une cellule de Mon Corps. Ta conscience (comme une de Mes Cellules) est à Moi, ce que la conscience d'une des cellules de ton corps est à toi.

19. — La conscience d'une cellule de ton corps est donc Ma Conscience, de même que ta conscience est Ma Conscience et, pour cette raison ; la cellule, toi et Moi, devons être UN en conscience.

20. — Cependant, tu ne peux dès à présent diriger ou contrôler, consciemment, une seule des cellules de ton corps. Mais, quand tu

pourras, à volonté, entrer dans la conscience de ton « Je Suis » et connaître son identité avec Moi, alors, tu pourras contrôler non seulement chacune des cellules de ton corps, mais encore celles de n'importe quel autre corps, si tel est ton désir.

21. — Qu'arrive-t-il quand ton être intelligent cesse de contrôler les cellules de ton corps ?

22. — Le corps se désagrège, les cellules se séparent et, pour un temps, leur travail est terminé. Mais, est-ce que les cellules meurent ou perdent leur conscience ? Non, elles dorment tout simplement ou se reposent pendant une certaine période. Après un laps de temps, elles s'uniront à d'autres cellules, pour former de nouvelles combinaisons et, tôt ou tard, elles réapparaîtront en d'autres manifestations de vie, soit minérales, végétales ou animales. Pendant tout ce temps elles montrent qu'elles ont gardé leur conscience originelle et qu'elles attendent uniquement l'action de Ma Volonté pour se joindre dans un nouvel organisme, afin d'exécuter les ordres du nouvel être intelligent, par lequel Je désire Me manifester.

23. — Il semble donc que cette conscience de la cellule est apparemment commune à tous les

corps, soit minéral, végétal, animal ou humain, chaque cellule étant, sans doute par expérience, adaptée pour un certain travail, commun à tous ces corps ?

24. — Oui, cette conscience de la cellule est commune à toute cellule de tout corps de quelque nature qu'il soit, parce que c'est une Conscience Impersonnelle, n'ayant d'autre but que d'exécuter le travail qui lui est assigné. Elle ne vit que dans le but de travailler où l'on a besoin d'elle. Quand elle a terminé de construire une forme, elle en entreprend une autre, sous la direction de l'être intelligent à qui Je désire qu'elle serve.

25. — Il en est ainsi de toi (en ce qui concerne ta conscience humaine).

26. — Toi, comme une des cellules de Mon Corps, tu possèdes une conscience qui est Ma Conscience, une intelligence qui est Mon Intelligence et aussi, une volonté qui est Ma Volonté. Tu ne possèdes aucune de celles-ci par toi-même. Toutes sont à Moi et pour Mon Usage seulement.

27. — Or donc, Ma Conscience et Mon Intelligence, comme Ma Volonté, sont entièrement Impersonnelles. Elles te sont donc communes, ainsi qu'à toutes les cellules de Mon Corps, de mê-

me qu'Elles sont communes à toutes les cellules de ton corps.

28. — JE SUIS ENTIEREMENT IMPERSONNEL. Ma Conscience, Mon Intelligence et Ma Volonté qui opèrent en toi et dans les autres cellules de Mon Corps et qui constituent ton « Je Suis » et le leur, doivent opérer Impersonnellement dans toutes les cellules de ton corps. Donc, Moi et ton « Je Suis », et celui de ton frère, ainsi que la conscience et l'intelligence de toutes les cellules de tous les corps, sommes UN.

29. — Je Suis l'Etre Intelligent, le Directeur de tout : l'Esprit qui anime, la Vie, la Conscience de toute Matière, de toute Substance.

30. — Et, si tu sais le comprendre, Toi, le Vrai, l'Impersonnel, tu es en tous, tu es UN avec tous, tu es en Moi et tu es UN avec Moi, comme Je Suis en toi et en tous et, de ce fait, J'exprime Ma Réalité par toi et par tous.

31. — Cette volonté que tu appelles ta volonté n'est pas plus la tienne personnellement, que ne le sont la conscience et l'intelligence de ton esprit et des cellules de ton corps.

32. — Elle n'est pas autre chose qu'une petite portion de Ma Volonté, que Je te permets d'utiliser. Dès que tu parviendras à reconnaître

en toi quelque pouvoir ou faculté et que tu commenceras à en user consciemment, Je te concéderai Mon Pouvoir Infini à un degré proportionné à la connaissance que tu en auras et à l'usage que tu sauras en faire.

33. — Tout pouvoir et son emploi ne dépendent que d'une plus ou moins grande connaissance et compréhension de l'emploi de Ma Volonté.

34. — Ta Volonté et tous tes pouvoirs ne sont que des phases de Ma Volonté que J'atténue, afin qu'Elle s'adapte à ta capacité d'en user.

35. — Si Je te confiais tout le Pouvoir de Ma Volonté, avant que tu saches consciemment t'en servir, ce Pouvoir annihilerait entièrement ton corps.

36. — C'est donc pour éprouver ta force et, plus souvent encore, pour te montrer le résultat du mauvais emploi de Mon Pouvoir que Je te permets, parfois, de commettre ce que tu appelles un péché, ou bien, une erreur. Je te permets même de t'enorgueillir de la sensation de Ma Présence en toi, quand elle se manifeste comme la conscience de Mon Pouvoir, de Mon In-

telligence et de Mon Amour et Je te laisse en faire usage pour tes fins particulières ; mais non pour longtemps, car, n'étant pas assez fort pour les dominer, ils se retournent bientôt contre toi. Ils s'emparent de toi, te renversent et te traînent dans la fange et, finalement, disparaissent de ta conscience pour un laps de temps.

37. — Mais, toujours Je Suis là, pour te relever après la chute, quoique à ce moment, tu ne le saches pas ; d'abord, en te faisant honte, ensuite, en te redressant et te faisant continuer de nouveau ton chemin en t'indiquant la cause de ta chute. Et finalement, quand tu es suffisamment humilié, Je te fais comprendre que ces pouvoirs, en se manifestant en toi par l'usage conscient de Ma Volonté, de Mon Intelligence et de Mon Amour, te sont concédés pour être employés uniquement à Mon Service, et non pas pour tes fins personnelles.

38. — Est-ce que les cellules de ton corps, les muscles de tes bras vont se considérer comme ayant une volonté distincte de la tienne, ou une intelligence différente de ton intelligence ?

39. — Non, ils ne connaissent pas d'autre intelligence que la tienne, aucune autre volonté que la tienne.

40. — Bientôt, tu comprendras et tu te rendras compte que, toi aussi (considéré ici comme conscience corporelle humaine) tu n'es qu'une des cellules de Mon Corps, que ta volonté n'est pas ta volonté, mais la Mienne ; que la conscience et l'intelligence que tu possèdes sont entièrement Miennes ; qu'il n'existe pas en toi telle personne comme tu le crois. En effet personnellement, tu n'es qu'une forme physique douée d'un cerveau humain, créé par Moi, dans le but de manifester dans la matière une Idée, une certaine phase, par laquelle Je pouvais M'exprimer au mieux et, uniquement, dans cette forme particulière.

41. — Tout ceci peut encore, en ce moment, te sembler difficile à accepter. Il est possible même que tu protestes énergiquement, que cela ne peut être ainsi, que toute ta nature se révolte instinctivement contre un tel abandon et une telle subordination à un pouvoir inconnu et invisible, quelqu'Impersonnel et Divin qu'Il soit.

42. — Mais, ne crains rien. Ce n'est que ta personnalité qui se révolte ainsi. Si tu persévères à étudier avec attention Mes Paroles, bientôt tout t'apparaîtra clair. D'une manière certaine Je te ferai entendre, intérieurement, beau-

coup de Vérités merveilleuses qu'il t'est, pour l'instant, impossible de comprendre. Et tu te réjouiras jusqu'au plus profond de toi et tu entonneras des louanges, bénissant ces Paroles pour le Message qu'elles t'apportent.

## — V —

# LA CLÉ

1. — Il se peut que, même maintenant, tu ne saches ni ne croies que Je Suis réellement toi, ou que Je Suis également ton frère et ta sœur et que vous êtes tous des parties de Moi et Un avec Moi.

2. — Il se peut aussi que tu ne croies pas non plus que ton Ame, celle de ton frère et celle de ta sœur, les seules parties réelles et indestructibles de vous qui êtes mortels, soient autre chose que des phases différentes de Moi en expression dans ce qui s'appelle la Nature.

3. — De même, il est possible que tu ne te rendes pas encore compte que toi, tes frères et sœurs sont des phases, ou attributs de Ma Nature Divine, de même que ta personnalité, avec

son corps, son esprit et son intellect mortels est une phase de ta nature humaine.

4. — Non, tu ne t'en rends pas encore compte. Mais, Je te parle de tout ceci dès maintenant, pour que tu puisses comprendre ces vérités, quand elles commenceront à poindre à ta conscience, comme elles le feront, inévitablement.

5. — Mais, avant que tu puisses reconnaître ces vérités, tout ce qui suit doit être étudié et médité par toi avec soin, et tu n'iras pas au-delà sans avoir compris, au moins en partie, Mon Enseignement.

6. — Lorsque tu auras compris parfaitement le principe que Je vais établir ici, alors, tout Mon Message deviendra clair et intelligible.

7. — D'abord, Je vais te donner la Clé de tous les mystères qui, pour l'instant, te cachent le Secret de Mon Etre.

8. — Lorsque tu sauras faire usage de cette Clé, elle te permettra d'accéder à toute Sagesse, à tout Pouvoir, au ciel (esprit subjectif) et sur la terre. Oui, elle te donnera accès au Royaume des Cieux (esprit Divin), et alors tu n'auras plus qu'à y entrer pour devenir, consciemment, UN avec Moi.

9. — La Clé est celle-ci :

10. — « *PENSER c'est CREER,* » ou,

11. — « *Ce que tu PENSES en ton CŒUR (intérieurement) se réalisera* ».

12. — Détends-toi et médite ces paroles pour qu'elles se gravent fermement dans ton esprit.

.....................................................

13. — Un penseur est un créateur.

14. — Un penseur vit dans un monde que lui-même s'est créé, *consciemment*.

15. — Quand tu sauras *comment* il faut penser, tu pourras, à volonté, créer tout ce que tu désires, que ce soit une nouvelle personnalité, un nouveau milieu, ou un nouveau champ d'action.

16. — Voyons maintenant si tu peux saisir quelques-unes des Vérités cachées et accessibles au moyen de cette Clé.

17. — On t'a montré jusqu'à quel point toute conscience est Une et comment elle est Ma Conscience toute entière ; cependant, elle est aussi la tienne ainsi que celle de l'animal, de la plante, de la pierre et de l'invisible cellule.

18. — Tu as compris que cette conscience est contrôlée par Ma Volonté qui détermine les cellules invisibles à s'unir et à former les divers organismes nécessaires à l'expression et à l'usa-

ge des différents centres d'intelligence, par lesquels Je désire M'exprimer.

19. — Mais, tu ne peux encore comprendre de *quelle manière* tu pourras diriger et contrôler la conscience des cellules de ton propre corps, et encore moins, celles des autres corps, même si toi, Moi et elles sommes UN, en conscience et en intelligence.

20. — Cependant, si tu mets toute ton attention à méditer ce qui suit, tu seras en état de le comprendre :

21. — T'es-tu quelquefois donné la peine d'approfondir ce qu'est la conscience ? Par quel fait elle est, à n'en pas douter, une condition de lucidité vigilante, ou de connaissance, d'une disposition particulière, toujours prête à servir et à être dirigée ou utilisée par quelque pouvoir latent en elle et intimement liée à elle-même ?

22. — Par quel fait l'homme est-il, proprement dit, le type le plus parfait des organismes créés pour renfermer cette conscience, qui est dirigée et utilisée par le Pouvoir qui est en elle ?

23. — De même, par quel fait encore, ce Pouvoir latent dans la conscience de l'homme et en toute conscience, n'est-il autre chose que volonté, Ma Volonté ?

24. — Car, maintenant tu sais que tout pouvoir n'est autre chose qu'une manifestation de Ma Volonté.

25. — On t'a dit qu'au commencement Je créai l'homme à « Mon Image et à Ma Ressemblance » et, qu'ensuite, Je lui insufflai le souffle de Vie et il devint une Ame Vivante.

26. — Effectivement, en créant l'homme à Mon Image et à Ma Ressemblance, Je créai en lui un organisme capable d'exprimer *toute* Ma Conscience et *toute* Ma Volonté, ce qui veut dire également, tout Mon Pouvoir, toute Mon Intelligence et tout Mon Amour. Je le créai donc *parfait dès le commencement,* le modelant selon Ma propre Perfection.

27. — Ainsi donc, quand J'insufflai dans l'organisme de l'homme Mon Souffle, Je lui donnai Ma Vie, car ce fut alors que Je transmis en son organisme Ma Volonté, non du dehors, mais du dedans, du Royaume des Cieux où, toujours, Je Suis. Et, depuis lors, toujours Je respire, Je vis et J'ai Mon Etre au-dedans de l'homme, car Je le créai à Mon Image et à Ma Ressemblance, uniquement dans ce but.

28. — La preuve de ceci est que l'homme ne respire, ni ne peut respirer, par lui-même. Quel-

que chose de plus grand que son moi conscient naturel vit dans son corps et respire par ses poumons. Une force puissante existant dans son corps utilise ainsi les poumons, de la même manière qu'elle utilise le cœur, pour infuser, dans chaque cellule du corps le sang qui renferme la vie, dont il est saturé, en passant par les poumons ; comme elle utilise l'estomac et les autres organes pour digérer et assimiler les aliments, afin de produire le sang, les tissus, les cheveux et les os ; comme elle utilise le cerveau, la langue, les mains et les pieds, pour penser, dire et faire tout ce que l'homme fait, dit et pense.

29. — Cette force est Ma Volonté d'Etre et de Vivre dans l'homme quel qu'il soit, c'est Moi qui Suis en lui et, quoique l'homme fasse, ou que tu fasses, c'est Moi qui le fais, et quoi que tu dises ou penses, c'est Moi qui le dis ou le pense, par ton organisme.

30. — On t'a dit également qu'au moment où l'homme fut pourvu de Mon Souffle, il lui fut donné la domination de tous les règnes de la Terre. Cela veut dire qu'il devint maître de tout ce qui existe sur la terre, dans les mers, dans l'air et les espaces, et que tous les êtres vivants

dans ces régions lui rendirent hommage et furent soumis à sa volonté.

31. — Ceci fut naturellement ainsi, car Je Suis au-dedans de la conscience de l'homme, comme au-dedans de toute conscience manifestant Ma Volonté, et parce que Moi, le Seigneur et Maître de l'organisme de l'homme, Je Suis également le Seigneur et le Maître de tous les organismes où la conscience demeure. Et, comme toute conscience est Ma Conscience et demeure partout où il y a vie, car il n'y a pas de substance sans vie, il s'ensuit que Ma Conscience doit être en toutes choses : sur la terre, dans les eaux, dans l'air et dans le feu et, pour cette raison, Elle doit remplir tout espace. En réalité, Elle *est* Elle-même ce que l'homme appelle l'espace.

32. — Par conséquent, Ma Volonté étant le Pouvoir latent en toute conscience, doit s'exercer en tous lieux. Par la suite, la conscience de tous les organismes, y compris la conscience de son propre organisme, est sous le contrôle et la direction de l'homme.

33. — Tout ce qu'il lui faut pour cela, c'est qu'il s'en rende compte, consciemment. Il doit se rendre compte que c'est Moi, son Moi Imper-

sonnel en lui, qui dirige constamment, gouverne et utilise la conscience de tous les organismes, à chaque moment de chaque jour de leur vie.

34. — C'est avec et par sa pensée que Je le fais.

35. — Je le fais avec et par l'organisme de l'homme. L'homme pense que c'est lui qui pense. Mais, c'est Moi, son vrai Moi, qui pense par son organisme, au moyen de sa pensée et de sa parole créatrices. C'est Moi qui mène à bonne fin tout ce que l'homme fait, et c'est Moi qui fait de l'homme et de son monde tout ce qu'ils sont.

36. — Qu'importe si l'homme et son monde ne sont pas ce que lui suppose qu'ils sont. Ils sont exactement ce que Je les ai créés pour qu'ils servent Mes Desseins.

37. — Mais, Je t'entends dire que, si Je Suis Celui qui pense tout, l'homme ne pense pas ni ne peut penser.

38. — Oui, ceci semble être un mystère. Mais, il te sera révélé, si tu notes soigneusement ce qui suit.

39. — Car, Je vais t'enseigner, à toi, homme, COMMENT tu dois penser.

— VI —

## PENSER ET CREER

1. — J'ai dit que l'homme ne pense pas ; que c'est Moi, au-dedans de lui qui pense pour lui.

2. — J'ai également dit que l'homme pense que c'est *lui* qui pense.

3. — Comme ceci est une contradiction apparente, Je dois nécessairement te démontrer que ce n'est pas l'homme qui pense, pas plus qu'il ne fait, quoi que ce soit de ce qu'il croit faire.

4. — Car, Moi, au-dedans de lui, Je fais tout ce qu'il fait. Mais Je le fais nécessairement par son organisme, par sa personnalité, son corps, son esprit et son âme.

5. — Je vais t'expliquer comment.

6. — En premier lieu, essaie de te rendre compte que Je te fis à Mon Image et à Ma Res-

semblance et que J'ai Mon Etre au-dedans de toi. Bien que tu l'ignores encore maintenant et crois que Moi, Dieu, Je Suis quelque part en dehors de toi et que toi et Moi sommes séparés, essaie d'imaginer que Je Suis au-dedans de toi.

7. — Ensuite, rends-toi compte que, ce que tu fais, lorsque tu penses, ce n'est pas, *réellement*, penser, car tu ne le fais pas consciemment. Il n'en pourrait être autrement, puisque tu n'as pas conscience de Moi qui Suis l'Inspirateur et le Guide de toutes les idées et pensées qui entrent dans ton esprit.

8. — Reconnais de plus, qu'en raison de ce que Je Suis en toi, que tu es conçu à Mon Image et à Ma Ressemblance, et que tu possèdes toutes Mes Facultés, tu as le *pouvoir* de penser. Mais, n'étant pas conscient que penser c'est créer, en le faisant, tu uses d'un de Mes Pouvoirs Divins. En réalité, toute ta vie tu as pensé, mais cela n'a jamais été qu'un penser faux ou, ce que toi tu appellerais une façon erronée de penser.

9. — C'est cette façon erronée de penser, cette ignorance de ce qu'est Mon Pouvoir dont tu as fait usage d'une manière abusive, qui t'a séparé de Moi, en conscience, t'éloignant de plus en

plus, mais toujours, accomplissant Mes Desseins qui eux te seront révélés plus tard.

10. — La preuve de ce qui précède est que tu penses être séparé de Moi, que tu vis dans un monde matériel, que ton corps de chair engendre et héberge la douleur et le plaisir et qu'une influence maligne, appelée Démon, se manifeste dans le monde en s'opposant à Ma Volonté.

11. — Oui, tu crois que toutes ces choses sont réellement ainsi.

12. — Elle sont, en effet ainsi pour toi, car, pour la conscience mortelle de l'homme, toutes les choses sont ce que le Moi en lui pense et croit qu'elles sont.

13. — C'est encore Moi qui fais qu'elles paraissent être au « moi » de l'homme ce qu'il pense qu'elles sont, dans le seul but de servir Mes Desseins et pour que s'accomplisse la loi de la création.

14. — Voyons maintenant si ceci est exact.

15. — Si tu crois qu'une chose est de certaine manière, cette chose n'est-elle pas réellement ainsi pour toi ?

16. — N'est-il pas vrai que lorsqu'un chagrin, un malheur, une douleur, une souffrance, ou une inquiétude te semblent réels, c'est parce que ta

pensée, ou ta croyance les font tels que tu les imagines être ? D'autres personnes pourraient voir ces mêmes choses de toute autre façon et considérer ta manière de les voir comme absurde. N'en est-il pas ainsi ?

17. — Si ceci est vrai, alors ton corps, ta personnalité, ton caractère, ton milieu, ton monde, sont ce qu'ils te *paraissent* être, parce que tu les a pensés tels qu'ils existent, actuellement.

18. — Par conséquent, *tu peux les modifier par le même procédé,* s'ils ne te plaisent pas. Tu peux les transformer à ton gré, en pensant qu'ils sont ce que tu désires qu'ils soient. N'est-ce pas que tu peux le faire ? Mais, comment peut-on réellement et consciemment penser de manière à obtenir cette modification, te demandes-tu ?

19. — En premier lieu, sache que c'est Moi, ton Intime et Vrai Moi qui attirai, intentionnellement, ton attention sur ces choses qui, maintenant, te sont si désagréables et te font penser ce qu'actuellement, elles te paraissent être. Sache également que c'est Moi qui prépare ainsi ton esprit humain afin que, quand tu accourras à Moi, intérieurement, avec une Foi et une Confiance fermes et permanentes, Je puisse te mettre en état de voir et de faire manifester, maté-

riellement la Réalité de ces choses qui, à présent te semblent si désagréables.

20. — Car, Je te donne tout ce qui, par son aspect extérieur, peut attirer ou induire ton esprit humain à poursuivre sa recherche ou son investigation terrestre. Je te prouve ainsi combien est trompeur, à l'esprit humain, l'aspect extérieur de toutes les choses matérielles, et la faillibilité de tout entendement humain, dans le but de te faire accourir, intérieurement, à Moi et à Ma Sagesse, comme le Seul et Unique Interprète et Guide.

21. — Et, quand tu auras eu recours à Moi, intérieurement, J'ouvrirai tes yeux et te ferai voir que l'unique moyen, par lequel tu puisses jamais opérer la transformation de ta manière de penser, est de changer, avant tout, ta manière de juger ces choses que tu as pensées et qui ne sont pas ce qu'elles devraient être.

22. — Or, si ces choses te paraissent peu satisfaisantes, ou odieuses et t'affectent au point de te causer un malaise physique, ou des inquiétudes mentales, eh bien ! cesse de penser qu'elles peuvent t'affecter ou t'incommoder de la sorte.

23. — Car quel est celui qui commande ?

ton corps, ton esprit ou Toi, le « Je Suis » au-dedans de toi ?

24. — Alors, pourquoi ne pas montrer que tu es celui qui commande, en pensant le réel et le positif que ton « Je Suis » désire que tu penses ?

25. — C'est seulement parce que tu penses que les choses sont comme tu les vois, que tu laisses entrer dans ton esprit les pensées inharmonieuses et que tu leur laisses ainsi le pouvoir de t'affecter et d'exercer une telle influence sur toi. Quand tu cesseras de leur donner ce pouvoir et que tu accourras à Moi, intérieurement, Me laissant diriger ta pensée, elles disparaitront immédiatement de ta conscience et retourneront dans le néant, d'où tu les sortis en les pensant.

26. — Quand tu seras disposé à faire ceci, alors, et alors seulement, tu seras prêt à recevoir la Vérité et tu seras capable de créer, au moyen de la pensée consciente, dirigée par Moi, les choses réelles et permanentes que Moi, au-dedans de toi, Je désires que tu crées.

27. — Et alors, quand tu pourras distinguer le vrai du faux, le réel de ce qui n'est qu'apparence, ta pensée consciente aura la même puissance pour créer tout ce que tu désires qu'eût ta pensée inconsciente dans le passé pour créer

les choses, que tu désirais autrefois, mais que maintenant, tu trouves odieuses.

28. — Car, c'est par suite de ta pensée inconsciente, ou pour avoir pensé inconsciemment de la domination que tes désirs exerçaient sur ton pouvoir créateur, que ton monde et ta vie sont, actuellement, ce qu'en quelque occasion du passé tu avais désiré qu'ils fussent.

29. — N'as-tu jamais étudié et analysé le procédé de travail exécuté par ton esprit, au moment où une idée nouvelle et fertile en possibilités te vient à l'esprit ?

30. — As-tu remarqué la relation qui existe entre le désir et telle idée et, comment, au moyen de la pensée, cette idée finit effectivement par se réaliser ?

31. — Etudions cette relation et ce procédé de réalisation.

32. — Toujours, l'idée existe premièrement, sans considérer, en ce moment, la nécessité ou l'occasion de son apparition. De même, il importe peu d'où vient cette idée. Que ce soit du dedans ou du dehors, c'est toujours Moi qui l'inspire et fais qu'elle impressionne ta conscience au moment désigné.

33. — Et alors, selon le degré de quiétude

atteint par toi, selon le degré de concentration de ton attention sur cette idée, toutes les activités de ton esprit étant apaisées, toutes les autres idées et pensées étant éliminées de ta conscience, afin que cette idée règne uniquement et exerce pleinement toute son influence, oui, seulement alors, J'agis et illumine ton esprit et fais se déployer devant ta vision mentale, les diverses phases et possibilités contenues dans cette idée.

34. — Toutefois, jusqu'à ce point, ceci a lieu sans plus d'effort de volonté de ta part si ce n'est que la concentration de ton attention fixée sur cette idée.

35. — Mais, une fois que J'ai donné à ton esprit humain une notion des possibilités de l'idée et appelé ton attention sur elles, ta personnalité humaine entreprend sa tâche. Car, au moment même où J'inspirai l'idée en ton esprit, J'y fis surgir et se produire le désir de manifester, matériellement, toutes les possibilités de l'idée. Ce désir devient ainsi l'agent mortel de Ma Volonté et le promoteur de Force, tout comme la personnalité humaine est l'instrument corporel ou humain employé à définir, à projeter ou à appliquer cette Force.

36. — Oui, c'est ainsi que tous les désirs, toutes les idées ont leur origine en Moi. Ce sont Mes Idées et Mes Désirs que J'inspire à ton esprit et à ton cœur, afin de les manifester matériellement.

37. — Tu ne possèdes aucune idée qui te soit propre. Et tu ne pourrais avoir un désir qui ne provienne de Moi. Car, JE SUIS TOUT CE QUI EST. Donc, tous les désirs sont bons et, quand ils sont compris ainsi, ils se réalisent, infailliblement d'une manière rapide et parfaite.

38. — Tu peux mal interpréter Mes Désirs et Mes Impulsions intérieurs et prétendre les utiliser à des fins égoïstes. Mais, même si Je le permets, c'est encore Mes Desseins qu'ils accomplissent. Car, c'est seulement en te laissant abuser de Mes Dons et au moyen des souffrances que ces abus entraînent avec eux — car les abus et les souffrances sont Mes Agents purificateurs — que Moi, Je peux te former comme un conduit pur et désintéressé, dont J'ai besoin pour l'expression parfaite de Mes Idées.

39. — Donc, nous avons, premièrement, l'Idée dans l'Esprit, ensuite, le Désir de la réaliser, matériellement.

40. — Tout ce qui vient d'être dit se rapporte

à la relation du Désir avec l'Idée. Voyons maintenant le procédé de réalisation de cette dernière.

41. — D'une façon absolument identique à la clarté et à la précision avec lesquelles la représentation de l'Idée est maintenue dans l'Esprit, et à l'intensité avec laquelle l'Idée s'empare de la personnalité, exactement au même degré son Pouvoir créateur mis en action par le Désir, procède à Son travail. C'est alors que l'esprit humain ou mortel se voit obligé de former, par la pensée, une image ou, en d'autres termes, de construire des formes dans lesquelles Je peux répandre, comme dans un moule vide, la substance vive, élémentaire et Impersonnelle de l'Idée, qui, en prononçant la Parole, que ce soit en silence, ou à haute voix, consciemment ou inconsciemment, commence immédiatement à se réaliser.

Tout d'abord, elle dirigera et contrôlera la conscience et toutes les activités, tant de l'esprit que du corps, ainsi que les activités de tous les esprits et de tous les corps ayant une relation quelconque avec l'Idée. Car, rappelle-toi que toute conscience, tous les esprits humains et tous leurs corps sont à Moi et n'ont aucune existence à part, mais sont UN et entièrement Impersonnels. Ensuite, cette même Idée attirera, dirigera, formera et moulera les conditions, les choses et les événements de telle sorte que, tôt ou tard, elle se présentera effectivement en manifestation précise et tangible.

42. — Et, c'est ainsi que toute chose, toute condition ou événement qui eut lieu, fut premièrement une Idée dans l'Esprit et, par le Désir, la Pensée et la Parole exprimée, ces Idées entrèrent en manifestation visible.

43. — Médite cela et fais-en la preuve toimême.

44. — Ceci, tu peux le faire, si tu le désires, en prenant une idée quelconque qui se présente et en la suivant dans tout le procédé mentionné jusqu'à sa réalisation. Ou bien, remonte à l'origine de cette idée, d'où provient quelque fait que tu as accompli, soit un tableau que tu aies peint, une machine que tu aies inventée, ou à n'importe quelle chose ou condition en existence actuellement.

45. — Ceci est le plan et le processus de la pensée réelle et vraie, suivis pour former tout ce qui se crée.

46. — En d'autres termes : Par le pouvoir de penser, tu as toujours eu, et as, à présent, la domination sur tous les règnes de la terre. Si

seulement tu le savais ! Tu n'as maintenant, en ce moment même, qu'à penser et à prononcer la Parole, te rendant compte de ton pouvoir et Moi, l'Omniscient, l'Omniprésent et l'Omnipotent, Je ferai que s'effectue ce que tu as commandé. Et la conscience alerte des cellules invisibles de toute matière, sur laquelle se concentrent ta volonté et ton attention — dont la conscience alerte est Ma Conscience, souviens-t'en — commencera immédiatement à obéir et à agir, en accord selon l'image ou les projets que tu as conçus ou préparés, au moyen de ta pensée.

47. — Car, toutes choses ont été faites par la Parole ; sans la Parole, rien de ce qui a été fait ne se serait fait.

48. — Quand tu pourras te rendre compte de tout ceci et reconnaître que la conscience du Je Suis en toi est Une avec la conscience de toute matière animée ou inanimée, que Sa Volonté est Une avec ta volonté qui est Ma Volonté et que tous tes désirs sont Mes Désirs, alors, tu commenceras à Me connaître et à Me sentir intérieurement et tu reconnaîtras le Pouvoir et la Gloire de Mon Idée qui s'exprime, éternellement et Impersonnellement, par toi.

49. — Mais, il est absolument nécessaire que

tu apprennes, d'abord, COMMENT on doit penser, comment distinguer tes pensées, celles qui sont dirigées par Moi, des pensées des autres ; comment rechercher la provenance des pensées en remontant à leur source, comment bannir de ta conscience, à volonté, celles qui ne te conviennent pas et, finalement, comment dominer et utiliser tes désirs, afin qu'ils te servent toujours, au lieu d'être, toi, leur esclave.

50. — Tu as toutes les possibilités au-dedans de toi parce que Moi, Je Suis là. Mon Idée doit s'exprimer et elle doit être exprimée par toi. Elle s'exprimera parfaitement, pour peu que tu calmes ton esprit humain en éloignant toutes les idées personnelles, les croyances et les opinions, pour lui permettre de se manifester. Tu n'as qu'à recourir à Moi intérieurement, et Me laisser diriger ta pensée et exprimer quelle que soit la chose que Je veuille, en acceptant et en faisant, toi, personnellement, ce que Je désire que tu fasses. Alors, tes désirs se réaliseront. Ta vie deviendra toute une suite d'harmonies, ton monde un Ciel et ton Moi, UN avec Moi-Même.

51. — Quand tu auras commencé à te rendre compte de ceci et que tu auras perçu quelque chose de sa signification, tu pourras, alors, comprendre l'importance réelle de ce qui suit.

## — VII —

## LE VERBE

1\. — Nous allons maintenant faire usage de la Clé. Je te montrerai comment le plan et le procédé que Je viens de décrire sont ceux par lesquels le monde vint à exister, et comment tout ce qui est dans et sur la terre, y compris toi, tes frères et sœurs, ne sont que les manifestations matérielles d'une Idée, Mon Idée, qui se déroule dans Ma Pensée et se traduit en expression vivante.

2\. — Premièrement, sache que :

3\. — Moi, le Créateur, Je Suis le Penseur Originel, le Seul et Unique Penseur.

4\. — Comme il est démontré, dans ce qui précède, l'homme ne pense pas ; c'est Moi qui pense à travers lui.

5\. — L'homme pense que c'est lui qui pense,

mais, tant qu'il n'est pas éveillé, ne se rendant pas compte que Je Suis au-dedans de lui, il reçoit seulement les pensées que J'attire ou inspire à son esprit et, se trompant sur leurs vraies significations et desseins, il leur donne une interprétation personnelle, puis, par des désirs égoïstes ainsi éveillés, il se crée lui-même toutes ses calamités.

6. — Mais, en réalité, ces erreurs apparentes, ces fausses interprétations, ces interventions ne sont que des obstacles que Je place sur son chemin pour qu'il les vainque, et qu'en triomphant d'eux, il puisse développer un corps et un esprit assez forts et purs pour exprimer, d'une manière parfaite, Mon Idée qui opère éternellement audedans de son Ame.

7. — L'homme est donc uniquement l'organisme que Je prépare ainsi, dans le but de manifester par lui la perfection de Mon Idée. Il pourvoit la personnalité avec son corps, son esprit et son intellect par lesquels Je puis exprimer parfaitement cette Idée, ainsi que le cerveau physique, au moyen duquel Je puis la penser et l'exprimer, et par ce moyen, la manifester matériellement.

8. — Je sème une Idée — quelle qu'elle soit

— dans le cerveau de l'homme. Cette Idée croîtrait, mûrirait et fructifierait rapidement et complètement, c'est-à-dire qu'elle se manifesterait extérieurement, si l'homme ne s'y opposait pas. S'il Me remettait son esprit et toutes ses pensées, son cœur et tous ses désirs, en les plaçant entièrement entre Mes Mains, il Me laisserait alors apparaître dans la réalisation parfaite de cette Idée.

9. — Je sèmerai maintenant une Idée dans ton cerveau et, si tu Me laisses diriger son développement et son expression, elle croîtra, mûrira et donnera la riche moisson de Sagesse qui t'attend.

10. — Dans une de Mes autres Révélations, appelée la Bible, on t'a dit bien des choses touchant au « Verbe » (la Parole Créatrice) mais, peu de personnes, pas même les interprètes les plus compétents de cette Bible, n'ont compris clairement Ma Signification.

11. — On t'a dit que :

« Au commencement était le Verbe et le Verbe était en Dieu, et le Verbe était Dieu.

« Il était au commencement en Dieu.

« Toutes choses ont été faites par Lui, — par

le Verbe — et sans lui — le Verbe — rien de ce qui a été fait, ne se serait fait ».

12. — Tu apprendras ici comment Mon Verbe était au commencement, comment il était en Moi, et comment il était Moi-Même ; comment toutes choses ont été faites par Moi et par Mon Verbe et que, sans Moi et sans Mon Verbe, rien de ce qui existe maintenant n'aurait été fait.

13. — Or, pour l'entendement humain, un verbe ou une parole, c'est le symbole d'une idée, c'est-à-dire, qu'il exprime, représente et renferme une idée.

14. — Tu es un Verbe, ou une Parole, le symbole d'une Idée, si tu parviens à le comprendre, de même que l'est un diamant, un cheval, une violettte.

15. — Quand tu pourras discerner l'idée renfermée dans le symbole, tu connaîtras alors l'âme ou la réalité de la manifestation qui apparaît comme homme, diamant, cheval ou violette.

16. — Donc, un Verbe ou une Parole, employé comme dans la citation ci-dessus signifie une Idée, une Idée latente, mais non encore manifestée, prête, toutefois, à être exprimée, pensée ou formulée matériellement.

17. — Le Verbe qui était au commencement

et qui était en Moi, était, non seulement, une Idée, mais ce fut *Mon Idée de Moi-Même en expression,* dans un nouvel état ou condition que tu appelles : la vie terrestre.

18. — Cette Idée était Moi-Même, parce qu'elle était une partie de Moi, étant encore latente et non manifestée au-dedans de Moi, car elle était une partie de l'Essence et de la Substance de Mon Etre, lequel est en Lui-Même une Idée, l'Idée Une et Originelle.

19. — Toutes choses ont été faites par Moi, par cette action vivifiante de Mon Idée qui fut pensée et formulée en expression. Rien n'a été ni ne peut être exprimé dans la vie terrestre, sans que Mon Idée en soit la cause première et le principe fondamental, ou l'élément de son être.

20. — Mon Idée est donc maintenant en voie de se dérouler, ou d'être pensée en expression matérielle, que les uns appellent évolution, telle la fleur, quand le bouton sort de sa tige et, finalement, s'épanouit, obéissant à l'impulsion d'exprimer Mon Idée cachée au-dedans de son âme.

21. — C'est précisément ainsi que Je développerai et déploierai tous Mes Moyens d'expres-

sion qui, du fond de leurs âmes, feront ressortir, d'une façon unie et complète, Mon Idée, dans toute la Gloire de Sa Perfection.

22. — Dans le temps présent, ces moyens sont de telle nature que, pour exprimer Mon Idée, ils requièrent beaucoup d'idiomes, de différents types, depuis les plus simples jusqu'aux plus complexes, composés d'un nombre presque infini de Paroles.

23. — Mais, lorsque J'aurai pensé complètement Mon Idée en expression matérielle, ou que J'aurai perfectionné Mes nombreux moyens d'expressions, c'est alors que Mon Idée resplendira dans chaque Parole ; chacune d'elle étant de fait une phase parfaite de Mon Idée, toutes choisies et disposées de telle manière qu'elles ne seront réellement qu'Une Parole, irradiant la sublime expression de Ma Signification.

24. — Tous les langages se seront alors fondus en un seul, toutes les Paroles en une seule Parole, car tous les moyens se seront faits chair et toute chair sera devenue Une chair, le moyen rendu parfait pour l'expression complète de Mon Idée dans Une Parole — MOI-MEME.

25. — Alors, Mon MOI-MEME, maintenant en état d'être exprimé par ces Paroles parfaites,

luira à travers Son Moyen d'expression — à travers les personnalités, leurs corps, leurs esprits et leurs intellects — et le Verbe se sera fait chair ou, SERA la chair.

26. — Ceci signifie que toutes les Paroles, au moyen du pouvoir régénérateur de Mon Idée qui est en elles, auront évolué à travers la chair, la transmutant, la spiritualisant et la rendant à un tel point transparente et pure, qu'il ne restera rien en elle de la personnalité, rien de la nature terrestre qui puisse empêcher l'expression Impersonnelle, Me mettant en état, Moi-Même, de luire parfaitement et de devenir complètement manifesté, fondant ainsi, une fois de plus, toutes les Paroles et toute chair, en une Parole : Le Verbe qui était au commencement et qui luira à travers toute chair créée comme le Soleil de Gloire, le CHRIST de DIEU.

27. — Ceci est le plan et le but de Ma Création et de toutes les choses manifestées.

28. — Une lueur du procédé de Ma Création ou l'action de penser Mon Idée de Moi-Même en expression terrestre, te sera donné en ce qui suit.

## — VIII —

## MON IDEE

1. — On t'a dit que la terre et toutes les choses qui lui appartiennent ne sont que les manifestations matérielles de Mon Idée maintenant en voie d'être pensée en expression parfaite.

2. — On t'a montré que Mon Idée est responsable de toutes les choses créées et qu'Elle est la Cause et la Raison de toutes les manifestations qui existent, en y comprenant toi, tes frères et sœurs, qui ont été pensés en existence par Moi, le Penseur et le Créateur Un et Originel.

3. — Nous suivrons maintenant, pas à pas, le cours de Mon Idée, depuis le commencement, à travers ses divers états d'expression terrestre, ainsi que le procédé par lequel Je pense cette Idée, dans son état actuel de manifestation.

4. — Si tu prends soigneusement note de tout

ce qui suit, et si tu Me laisses diriger, intérieurement, toutes tes méditations sur leur signification cachée, il te sera montré, non seulement, la méthode par laquelle tu pourras créer par la pensée, quelle que soit la chose que tu désires créer, mais encore, comment tu vins à être et arrivas à ton état actuel de manifestation.

5. — Au commencement, quand, après un repos incalculable d'éons, (1) à l'aurore d'un nouveau Jour Cosmique, au moment précis où la conscience du monde se réveillait, et pendant que la quiétude de la Nuit Cosmique régnait encore, Moi, le Penseur, Je conçus Mon Idée ;

6. — De cette Idée de Moi-Même en manifestation dans une nouvelle condition, appelée expression terrestre, Je vis l'image parfaite dans le miroir de Mon Esprit Omniscient. Dans ce miroir, Je vis la Terre réelle, resplendissant brillamment dans le Cosmos, comme une sphère parfaite, dans laquelle toutes les phases, les attributs et les pouvoirs infinis de Ma Nature Divine avaient une expression parfaite, au moyen d'Anges de Lumière, Messagers vivants de Ma

---

(1) Temps incalculable d'années « Nuit cosmique », une période de $154^2.586,880^1.000,000$ d'années terrestres, pareil à zéro dans l'éternité de Mon être.

Volonté, Mon Verbe dans la chair, comme il est dans le Monde Céleste de ce qui est Eternel.

7. — Je Me vis Moi-Même Me manifestant matériellement comme la Nature, et Ma Vie comme la Cause vivifiante et productrice de toutes les manifestations par l'évolution ; Je vis l'Amour, le Divin Pouvoir Créateur, comme la force qui anime et vivifie, essence de toute vie, et Mon Désir de donner une expression parfaite à cet Amour, comme la cause et la raison potentielles et réelles du jaillissement de Mon Idée.

8. — Tout ceci, Je le vis représenté dans Mon Esprit, qui voit tout, sait tout, et qui ne pouvait voir et ne refléter que l'Ame des choses, ou leur réalité. C'est pourquoi ce que Je vis représenté dans Mon Esprit, fut la Terre réelle de fait, son commencement, sa conception, comme être cosmique.

9. — Or, Ma Conscience est l'essence intime de tout espace et de toute vie. C'est la substance réelle de Mon Esprit qui pénètre et contient tout et dont le centre producteur et vivifiant est partout et sa limite, ou circonférence, nulle part. Au-dedans du royaume de Mon Esprit, Je vis, Je Me meus et J'ai Mon Etre. Mon Esprit contient et, en même temps, remplit toutes choses

et chacune de Ses vibrations n'est que l'expression de quelque phase de Mon Etre.

10. — Etre, c'est exprimer ou « faire sortir ». Tu ne peux concevoir être sans expression. Donc, Moi qui Suis tout, J'exprime constamment et continuellement.

11. — J'exprime quoi ?

12. — Que pourrais-Je exprimer d'autre que Moi-Même puisque Je Suis tout ce qui est ?

13. — Tu ne peux encore Me voir ou comprendre ce que Je Suis, Moi-Même, mais tu peux Me comprendre, quand Je t'inspire une Idée.

14. — Par conséquent, si Je Suis tout ce qui est, cette Idée, qui vient directement de Moi, doit être une partie, ou une phase de Moi-Même, en état d'être ou en expression.

15. — Une Idée quelconque, une fois née dans le royaume de Mon Esprit, comme il t'a été démontré, devient immédiatement une Réalité, car, dans l'Eternité de Mon Etre, le temps n'existe pas.

16. — Toutefois, une idée en toi crée premièrement le Désir, le désir de l'exprimer. Ensuite, ce Désir t'oblige à penser. De la pensée provient l'action et l'action produit les résultats, ou l'idée en manifestation matérielle, tangible.

17. — Mais, en vérité, Je n'ai pas de désirs, parce que J'exprime toutes choses et toutes les choses sont de Moi. Je n'ai qu'à penser et à prononcer la Parole pour produire des réalisations.

18. — Toutefois, ce Désir que tu sens en toi provient de Moi, parce qu'il naît de Mon Idée que J'implante dans ton esprit, afin qu'elle puisse s'exprimer par toi. En vérité, ce que tu sens comme un désir, c'est Moi qui frappe à la porte de ton esprit, annonçant Mon Dessein de Me manifester Moi-Même en toi et par toi, dans la forme particulière indiquée par ce désir.

19. — Ce qui dans la personnalité humaine se nomme Désir n'est que l'action nécessaire de Ma Volonté, donnant l'impulsion pour l'expression de Mon Idée, pour la manifestation matérielle, ou pour la condition d'Etre.

20. — Ce qui te semble être en Moi un Désir d'expression n'est que la nécessité de Ma propre Idée d'Etre ou de S'exprimer.

21. — Par conséquent, tout désir vrai que tu sens en toi, tout désir du cœur a son origine en Moi et tu dois, nécessairement, dans un temps déterminé, l'accomplir sous une forme ou une autre.

22. — Mais, comme Je n'ai pas de désir, parce que J'exprime toutes les choses, une fois que naquit en Moi l'Idée de M'exprimer Moi-Même dans cette nouvelle condition, Je n'eus plus qu'à penser, c'est-à-dire, à concentrer et à diriger Mon Attention sur Mon Idée et la vouloir en expression ou, comme il a été dit, dans Mon autre Révélation, prononcer la Parole Créatrice pour que, immédiatement, les forces cosmiques de Mon Etre, mises en activité par la concentration de Ma Volonté attirent les éléments constitutifs nécessaires, puisés dans la réserve éternelle de Mon Esprit. Dès lors, avec Mon Idée comme nucléus, ces forces se mirent à combiner et à donner une forme, à modeler en elle ces éléments et produire ainsi ce qui s'appelle une forme-pensée d'une planète, la remplissant de Ma Substance de Vie, de Ma Conscience et la dotant de toutes les potentialités de Mon Etre.

23. — Mais, cet acte de penser produisit seulement une forme-pensée vitalisée d'une planète et sa manifestation était encore dans un état nébuleux sur le plan de la pensée.

24. — Toutefois, le pouvoir vivifiant de l'Idée au-dedans de cette forme-pensée, avec Ma Volonté concentrée sur Elle commença à la modeler

et à la solidifier, graduellement, donnant une forme matérielle aux éléments variés de la substance de vie jusqu'à ce que, finalement, Mon Idée put luire, en manifestation matérielle dans le monde des formes visibles sous la forme de la planète Terre, constituant ainsi un moyen approprié pour l'expression vivante, et capable dès lors, de Me contenir et, en même temps, de M'exprimer.

25. — Tel fut le corps matériel préparé par Ma Pensée, dans laquelle vivait déjà toute la nature potentielle de Mon Etre, en vertu du pouvoir organisateur de Mon Idée agissant au-dedans.

26. — L'étape suivante fut celle du développement et de la préparation des conduits, ou moyens d'expression, par lesquels Je pouvais exprimer les phases multiples, les possibilités et les pouvoirs de Mon Idée.

27. — La démonstration matérielle de ceci furent les règnes minéral, végétal et animal qui, tour à tour, entrèrent en manifestation et, développèrent graduellement, des états de conscience plus élevés et plus complexes qui Me mirent en état d'exprimer, chaque fois plus clai-

rement, les phases infinies et diverses de Ma Nature.

28. — Ce fut à ce moment que Je vis Ma Création et, comme il est dit dans Mon autre Révélation, Je vis que cette Création était bonne.

29. — Mais, il restait encore à développer le plus haut et le plus parfait de Mes Moyens d'expression.

30. — Jusque-là et, quoique chacun des moyens d'expression existants exprimât parfaitement quelque phase de Ma Nature, ils n'étaient, toutefois, pas conscients de Moi. Ils n'étaient que des moyens d'expression, comme l'est le fil métallique pour conduire la chaleur, la lumière, ou l'énergie.

31. — Cependant, les conditions étaient propices à la création d'instruments au moyen desquels Mes Attributs Divins pouvaient avoir une expression consciente, non seulement de leurs relations avec Moi, mais de leur habileté et de leur pouvoir d'exprimer Mon Idée.

32. — Ce fut lors de cette période cyclique que toi, tes frères et tes sœurs naquirent à l'existence, comme expressions humaines. Vous entrâtes alors en manifestation, par le même processus que les autres instruments, c'est-à-dire, en vertu

de Ma Pensée concentrée, dans laquelle Je vis la variété infinie de Mes Attributs s'exprimant déjà comme des entités, des formes ou des êtres, chacun d'eux manifestant d'une manière prédominante quelque phase particulière de Mon Etre et chacun, conscient de Moi, Son Créateur.

33. — Je Te vis en expression parfaite comme Je Te vois maintenant, comme Tu es vraiment, un Attribut de Moi-Même, parfait.

34. — Car, en vérité, Tu es un Ange de Lumière, une de Mes Pensées-Rayon, un Attribut de Mon Etre demeurant dans une Ame en conditions terrestres, sans autre but (celui-ci n'est d'ailleurs pas un but en soi, mais une nécessité de l'Idée de Mon Etre) que d'exprimer complètement et définitivement Mon Idée.

35. — Dans l'Eternel, il n'y a ni Temps, ni Espace, ni Individualité ; ces illusions ont lieu uniquement en vertu du phénomène par lequel naît la Pensée de la matrice de l'Esprit au monde de la Matière, fait par lequel la Pensée, ou la Créature, en arrive à la conscience de séparation entre elle et Son Créateur, ou Penseur.

36. — C'est ainsi que naquit en toi la tendance à te croire séparé de Moi, mais la pleine

conscience de séparation ne se produisit définitivement que longtemps après.

37. — Au commencement, quand Tu entras pour la première fois en manifestation terrestre, obéissant à l'impulsion que J'avais donnée par Ma pensée Concentrée, Toi, Un de Mes Attributs, tu t'entouras ou te vêtis Toi-Même de Mon Idée de Moi-Même en expression, comme l'Attribut spécial que tu représentais, Toi, étant la force vivante de cette Idée.

38. — En d'autres termes, Mon Idée de Moi-Même exprimant cet Attribut particulier se constitua alors en Ame (1) de ton expression particulière. Mais, cette Idée, ou cette Ame, n'est pas Toi, souviens-t'en, car Tu es réellement une partie de Moi en expression par le moyen de cet Attribut particulier.

39. — Ainsi, après que Tu te fus vêtu toi-même de Mon Idée, Celle-ci, par la nécessité de Son être commença, immédiatement, à attirer vers elle la Pensée-Substance nécessaire pour l'expression de cet Attribut particulier, la fa-

---

(1) Ame : Ce qui est intime ; la partie intérieure, Expression complète de l'Etre et, en même temps, moule intérieur de la forme corporelle.

çonnant et la modelant à Mon Image et à Ma Ressemblance. Elle en fit un Temple Sacré sanctifié par Ma Présence Vivante, puisque Tu l'habitais, Toi, un de Mes Attributs Divins.

40. — Ce Temple, formé à Mon Image et à Ma Ressemblance et fait de Ma Pensée-Substance entourant et revêtant Mon Idée est, par conséquent, Ton corps véritable. Il est donc, pour cette même raison, indestructible, immortel, parfait. Il est Ma pensée complète, telle que Je M'en étais fait l'image qui contient Mon Essence Vivante et attend l'occasion de pouvoir s'exprimer dans le monde, en prenant une forme matérielle et corporelle.

41. — Ainsi donc, nous avons :

42. — Premièrement, Je Suis s'exprimant comme Toi, Un de Mes Attributs Divins.

43. — Deuxièmement, Mon Idée de Toi, Un de Mes Attributs exprimé en conditions terrestres, c'est-à-dire : ton Ame.

44. — Troisièmement, Ma Pensée te représentant en Image, formant le Temple de Ton Ame, le Corps dans lequel Tu demeures.

45. — Ces trois états constituent la partie Divine ou Impersonnelle de Toi, l'immortel Trois-

en-un, c'est-à-dire : Toi, Ma pensée latente, quoique déjà complètement formulée, formée à Mon Image et à Ma Ressemblance, mais non encore éveillée ou mise en expression et n'ayant, comme telle, aucun lien avec ta personnalité humaine, parce que à cette étape de notre étude, elle n'a pas encore été engendrée, ou réalisée.

## — IX —

## LE JARDIN D'EDEN

1. — Si tu n'as pas encore compris clairement ce qui vient d'être exposé, ne le rejette pas comme impossible à comprendre, car chaque ligne renferme un sens caché dont la révélation te récompensera, avantageusement, de l'étude nécessaire pour le comprendre.

2. — Ce Message désire t'amener à la compréhension de ce que Tu es, à la perception de ton propre, de ton véritable « Moi » pour que tu te rendes, de nouveau conscient de Moi, ton Moi Divin, si conscient que, jamais plus, tu ne seras trompé par cet autre « moi » que tu t'es imaginé être et qui, pendant si longtemps, t'a leurré, par les futiles et insipides plaisirs des sens, les dissipations mentales et les jouissances émotionnelles.

3. — Mais, avant qu'il puisse en être ainsi, il sera nécessaire que tu connaisses parfaitement cet autre « moi », ce « moi » que tu as créé en le pensant réel et séparé de Moi et que tu as gardé vivant, en lui donnant le pouvoir de te séduire et de te tromper. Oui, ce « moi » créé par toi, avec ses vaines et présomptueuses louanges de soi, ses ambitions et son pouvoir imaginaire, son amour de la vie et des biens matériels, son désir d'être réputé savant ou bon, ce « moi » n'est autre que ta personnalité humaine qui pourrait être considérée, faussement, comme une entité indépendante et personnelle, mais qui ne naquit que pour mourir et, comme telle, n'a pas plus de permanence ou de réalité que celle de la feuille, du nuage, ou de la neige.

4. — Oui, tu seras amené face à face avec cet insignifiant « moi » personnel et tu verras, avec une clairvoyance totale, toutes ses vanités humaines, son égoïsme sordide. Et alors, si tu veux accourir à Moi et M'interroger avec simplicité, foi et confiance, tu sauras que c'est Moi, la partie infinie et Impersonnelle de toi, demeurant toujours en toi, qui te montre ainsi toutes ces illusions de la personnalité qui, à travers les

âges t'ont séparé de Moi, Ton intime et glorieux Moi Divin.

5. — Cette perception viendra assurément quand tu pourras reconnaître que ce Message procède de Moi et lorsque tu auras résolu qu'il s'accomplisse. Alors, en temps opportun, Je ferai que pour toi, à qui J'ai inspiré une telle résolution, toute illusion disparaisse et, en vérité, tu Me connaîtras.

6. — L'exercice de ton esprit sur ce thème abstrait ne te sera pas nuisible. Au contraire, c'est ce dont ton esprit a besoin, car tant que tu ne pourras comprendre Mon Enseignement tel qu'il est exprimé ici, et que ces idées viennent du dehors, tu ne pourras percevoir et interpréter, correctement, Mon Idée, lorsque Je t'inspirerai, intérieurement.

7. — Et, c'est ainsi que Je prépare ton esprit pour en faire *usage,* non, pour obtenir davantage de connaissances terrestres, mais pour que tu puisses recevoir et donner Mes Enseignements à ceux que, dans ce but, Je t'amènerai.

8. — Ainsi, après avoir élevé ta prière vers Moi, ton Propre, ton Intime et Vrai « Moi », ton Père dans les Cieux, pour que la vraie réalisation s'effectue en toi, dans toutes les choses,

dans toutes les conditions et expériences qui peuvent se présenter à toi, lis attentivement ce qui suit.

9. — Au cours de notre étude du développement de Mon Idée, nous en sommes arrivés au point où ton « Je Suis », se manifestant dans le Corps immortel de ton Ame, ou dans la Pensée-Image créée par Moi, par Ma Pensée pure, est maintenant prêt à prendre une forme terrestre substantielle (1), une forme appropriée à l'expression de Mes Attributs sur la terre.

10. — Le changement de l'état mental à la forme mortelle eut lieu de la même manière et par le même procédé, employé pour toute pensée et toute création, et est littéralement décrit dans la Bible, où il est dit : « Je formai l'homme avec de la boue, ou poudre de la terre (2). Je

---

(1) Corps plastique, où la Pensée-Image commence à prendre une forme corporelle ; forme encore « substantielle », n'étant pas encore « matérielle », quoique ayant déjà passé son état mental.

(2) Substance morpho-plastique, comme on nommerait la phase, ou état de l'esprit encore substance, qui sert d'intermède entre l'état « mental », ou « idéalisé », et l'état « matérialisé », ou devenu chose faite ; en d'autres termes, une substance plastique éminemment supérieure à celle dont est composée « l'image de la terre » et dont la terre maté-

soufflai dans ses narines le souffle de vie et l'homme devint une Ame vivante ».

11. — Te l'expliquerai-Je davantage ? Eh bien, Je te dirai que le Pouvoir vivifiant contenu dans Mon Idée (ton Ame) se mit à attirer vers elle les divers éléments de la substance vitale terrestre (poussière ; voir la note précédente) et atome après atome, cellule par cellule, Il commença à modeler et à donner une forme à chacun d'eux au cours du temps, jusqu'à les corporifier en une forme substantielle (os, tissus, organes) selon le modèle de la Pensée-Image qui constitue le Corps de ton Ame, formant de cette manière, pour ainsi dire, une enveloppe extérieure de substance terrestre, jusqu'à ce que, finalement, ta forme mortelle, corporelle ou humaine, se manifesta au sens psychique, sans être pourvu encore de ce qui s'appelle les sens matériels ou physiques. Après quoi, tout étant préparé pour ce moment cyclique, Toi, Mon Attribut, souffla par ses narines (du dedans) le souffle de

---

rielle est un « double physique », cellule par cellule, atome par atome, substance dans laquelle les formes mortelles existent d'abord, avant de devenir matérielles, étant elle-même mortelle comme forme.

vie et Tu apparus alors, pour la première fois, sur la Terre comme un être humain, une Ame vivante (Mon Idée dès lors capable de s'exprimer, consciemment, par un instrument terrestre approprié) renfermant en Toi-Même tous Mes Attributs, tous Mes Pouvoirs et toutes Mes Possibilités.

12. — C'est ainsi que furent manifestés les divers instruments pour l'expression terrestre de Mon Idée. Et Toi, un de mes Attributs, Tu eus, naturellement, la domination sur tous ces instruments, ce qui veut dire que Tu possédas le pouvoir d'utiliser chacun d'entre eux, ou tous au besoin, pour la pleine et complète expression de tes pouvoirs et possibilités (ceux de Mon Attribut).

13. — De cette manière, et pour cette seule raison, toi, tes frères et tes sœurs, vous fûtes expressions humaines. Mais, même quand tu avais la forme humaine, ton expression était encore si complètement Impersonnelle et quoique tu fusses conscient de toi, personnellement, tu avais encore recours à Moi, intérieurement, Me demandant l'inspiration et la direction.

14. — Ceci fut donc la première condition, dans laquelle tu te trouvas au réveil, quand tu

entras en expression terrestre. C'est ce qui a été appelé « état Edénique » ou la vie au Jardin d'Eden.

15. — Cet état Edénique, ou paradisiaque, représente la phase Divine de la Conscience Impersonnelle en toi, ou l'état dans lequel tu étais encore consciemment Un avec Moi, bien que tu te trouvas alors déjà dans un instrument d'expression humaine.

16. — Or, Je ne te dirai pas en détail comment et pourquoi il Me fut nécessaire de te chasser (toi, dès lors manifesté comme Homme, ou Humanité) du Jardin d'Eden. Je te rappellerai seulement la part que joue le Désir dans l'expression terrestre et la relation qu'il garde avec Ma Volonté, ou, en d'autres termes, comment il retient ton attention fixée sur les choses matérielles et te fait M'oublier, Moi au-dedans de toi.

17. — Cependant, quand tu auras compris ceci et admis quelque peu la raison que J'eus pour agir ainsi, peut-être pourras-tu alors saisir aussi cette nécessité de te faire tomber, (toi, Humanité) dans un profond sommeil (car tu étais arrivé au terme d'un autre cycle, appelé Jour Cosmique), puis de te laisser rêver que tu étais éveillé. Mais, en réalité, tu étais endormi, comme tu

l'es encore. Et, tout ce qui est advenu depuis ce jour-là jusqu'au temps présent, les événements trompeurs et les conditions terrestres, tout cela ne fut qu'un rêve, duquel tu ne te réveilleras complètement que lorsque tu redeviendras (toi, Humanité) totalement conscient de Moi, au-dedans de toi. Alors, tu te trouvas toi-même à n'être corporellement, non plus un seul, mais deux ; une partie active, pensante et résolue qui, pour cela s'appelle « homme » et l'autre, la partie passive, sensible et réceptive ou « femme ».

18. — Tu comprendras aussi la nécessité qu'il y eut de mettre en jeu ces apparentes et trompeuses influences matérielles, ou terrestres, dans le but d'arracher ta conscience des délices divines et de la maintenir dans ce nouvel état de rêve, afin que tu puisses développer un esprit mortel ou humain, pour que, par ses tendances naturelles et égoïstes, tu puisses te concentrer complètement dans ta mission terrestre d'expression humaine.

19. — Puisses-tu comprendre aussi, la sagesse de faire que cette influence, au moyen du serpent de l'Egoïsme (forme que Je lui fis prendre dans ton esprit) engendrerait le Désir dans la

partie passive, sensible et réceptive de Toi, car ce Désir est l'agent mortel de Ma Volonté, qui devait fournir les motifs et le pouvoir pour l'ultérieure et complète expression de Mes Attributs sur la Terre.

20. — Et, finalement, tu saisiras la nécessité que le Désir exerçât sa fascination sur toi (Humanité) pour que ta nature Céleste et Impersonnelle soit plongée dans un profond sommeil, jusqu'au jour où, sans sortir de ton rêve, par l'usage libre, mais ignoré de Ma Volonté, tu fusses capable de goûter et de manger, en abondance, du Fruit de ce que l'on a appelé l'Arbre de la Science du Bien et du Mal, afin qu'en mangeant de ce fruit tu puisses apprendre à distinguer et à reconnaître son fruit pour ce qu'il est réellement et acquérir la force, en vue d'employer sagement la connaissance ainsi obtenue, uniquement pour l'expression de Mon Idée.

21. — Il est aussi possible que tu puisses comprendre, à présent, comment, dans ton rêve, tu devins de plus en plus absorbé et attaché à ce faux état terrestre pour avoir mangé de ce fruit et appris à connaître le Bien et le Mal. Ensuite, connaissant ce monde nouveau et séduisant qui s'ouvrait devant toi, tu perdis ainsi la con-

naissance de la Réalité de tout. Peut-être comprends-tu également comment et pourquoi tu vis que tu étais nu (tant dans ta partie pensante que dans ta partie sensitive) et aussi, pourquoi tu eus peur et essayas de te cacher de Moi, créant ainsi, dans ta conscience, le sentiment d'être séparé de Moi.

22. — Peut-être comprends-tu maintenant pourquoi tout ceci devait être ; pourquoi toi (Humanité), tu devais sortir de l'état Paradisiaque de Conscience Impersonnelle et être submergé complètement par l'illusion de ce monde de rêves, afin de pouvoir créer un corps et développer en lui une conscience personnelle, capable d'exprimer pleinement Ma Perfection.

23. — C'est ainsi que naquit ta personnalité humaine. Depuis sa naissance, Je t'ai incité à la soutenir et à la fortifier, te remplissant de convoitises, d'espoirs, d'ambitions et d'aspirations, grâce à toutes les diverses manifestations du Désir, manifestations qui ne sont que les phases humaines de Ma Volonté, travaillant à la préparation et au développement d'un instrument capable d'exprimer parfaitement Mes Attributs sur la terre.

24. — Ainsi, Je donnai mon Commandement

ou prononçai la Parole et te chassai du Jardin d'Eden, te vêtant d'une « enveloppe de chair » semblable à celle des autres animaux. C'est dans cette nouvelle condition, pour que tu puisses entrer pleinement dans le milieu terrestre, sur la Terre Réelle, la Terre de Mon Idée et non celle de ton rêve, afin de donner à Mon Idée latente une vie d'expression active, pour que Toi, Mon Attribut, tu aies un organisme et une enveloppe appropriés pour le milieu dans lequel tu allais te manifester dans ton rêve.

25. — En te donnant ainsi une enveloppe de chair et un organisme physique, Je donnai à Mon Idée, par ce fait, une forme adaptée pour l'expression terrestre. Je te donnai le pouvoir de t'exprimer dans un organisme déterminé (physique) au moyen de paroles.

26. — Dans l'Impersonnel, les mots n'ont ni sens, ni nécessité. Les idées seules existent et s'expriment. Elles existent simplement parce qu'elles sont l'expression des phases diverses de Mon Etre.

27. — Mais, dans cet état de rêve, il était nécessaire que toute expression eut pour ces états primitifs d'existence corporelle, une forme et une consistance qui pussent être entendues, vues,

touchées, senties et goûtées. Pour que sa signification put être clairement perçue, il était donc nécessaire de les pourvoir d'organismes capables d'être utilisés pour le double but d'expression et de compréhension de ce qui s'exprimait.

28. — Et, à mesure que Mon Idée se développait en Elle-Même, après ton expulsion de l'Eden, Toi, un de Mes Attributs Divins, — demeurant dans Mon Idée par cet Attribut en expression, audedans de Ma Pensée-Image pour se manifester finalement dans la forme terrestre de paroles — quand tu reçus l'impulsion de Ma Volonté, dans le désir d'exprimer Ma Signification, tu commenças rapidement « à croître et à multiplier ».

29. — Et dans ta recherche de conditions plus favorables pour la manifestation de tes attributs particuliers, tu te répandis sur toute la surface de la terre, éveillant et stimulant l'Intelligence, latente dans toutes les formes de vie avec lesquelles tu entras en contact, pour une expression plus complète et plus active des phases particulières de Mon Idée qu'elles représentaient.

30. — Ainsi se formèrent les différents langages de la terre, chacun d'eux composés de beaucoup de mots, tous nés dans l'esprit humain par le désir d'exprimer en concepts terrestres les

phases infinies de Mon Idée, toujours active au-dedans de chacun.

31. — Et, plus la mentalité humaine s'est efforcée d'exprimer Mon Idée — en paroles — plus son échec fut grand et humiliant.

32. — Mais, en temps opportun viendra le grand Réveil. Alors, il sera reconnu que toutes les paroles ne sont que des symboles d'une Idée, et que toutes les idées, quelle que soit leur nature ne sont que des phases d'une seule Idée, Mon Idée de Moi-Même en expression. Tout désir d'exprimer en paroles cette Idée, sans avoir conscience que Ma Volonté est la seule et unique Source d'Inspiration, sera vain. Il sera également reconnu que tout désir d'exprimer cette Idée en œuvres et en actes vivants, sans perdre complètement la conscience de ta personnalité humaine, — de la participation personnelle que tu prends dans ces œuvres et actes concentrant tout ton être en Moi, — sera vain et stérile et n'aura pour résultats que des échecs, des désappointements et des humiliations.

## — X —

## LE BIEN ET LE MAL

1. — Dans le Jardin d'Eden où tu demeurais avant de commencer ta mission humaine, croissait un arbre dont le Fruit fut appelé : la Connaissance du Bien et du Mal.

2. — Quand tu demeurais dans ce Jardin, tu étais encore entièrement Impersonnel, car tu n'avais pas encore goûté de ce fruit. Mais, ayant une fois cédé au Désir, cet agent humain de Ma Volonté dont la mission principale est de te faire manger de ce fruit, au moment où tu le mangeas, tu descendis, tu tombas ou fus expulsé de ton état Paradisiaque (tel le poussin, quand il sort de sa coque, ou la rose du bouton). Tu te trouvas alors entouré d'un milieu étrange et nouveau. Car à partir de ce moment, au lieu d'avoir la domination sur tous les règnes infé-

rieurs qui auraient satisfait tous tes besoins, tu dus labourer la terre pour la faire fructifier et gagner ton pain à la sueur de ton front.

3. — Mais, ayant pris sur toi cette mission humaine, il te fut nécessaire d'entrer pleinement dans tous les états et conditions de la vie humaine, afin de développer un esprit et de perfectionner un corps physique capables d'exprimer parfaitement Mon Idée sur la Terre, ce qui est la véritable cause et raison de ton entrée dans cet état nouveau.

4. — Ainsi, étant tombé ou sorti de ton état Impersonnel, ou Paradisiaque, tu cédas complètement à l'attraction de ce monde illusoire. Aussitôt que tu te laissas conduire par le Désir, tu ne fus plus en état de voir la Réalité, ou l'Ame des choses. Tu t'étais ainsi adapté à un corps physique, une enveloppe matérielle, avec un cerveau humain lequel étant influencé par le Désir, jeta un voile sur ta conscience intérieure pour obscurcir ta vue. Il voila ton esprit de telle sorte que la Lumière de la Vérité ne put pénétrer à travers, sans donner un faux coloris aux choses, les défigurant devant ton entendement humain.

5. — Et, dans cet état de rêve, tu vis toutes

les choses confusément, comme à travers un brouillard. Ce brouillard entourant et enveloppant tout, tu ne pus plus voir les choses comme elles sont réellement, mais tu vis uniquement leur aspect nébuleux, lequel cependant te semblait être la vérité, la réalité même des choses.

6. — Il en fut ainsi de tout ce que tu vis avec tes yeux physiques, de toutes les choses animées ou inanimées, de tout ce que conçut ton esprit humain, même de ton propre et intime Moi, ainsi que tous les autres Moi qui t'entourent.

7. — Et, ne voyant plus l'Ame des choses, mais uniquement ses ombres nébuleuses, tu en arrivas à croire que ces ombres étaient vraiment matérielles et que le monde qui t'entourait était composé et rempli de cette matière.

8. — Mais, ce brouillard n'était dû qu'à l'impossibilité dans laquelle était la Lumière de la Vérité de pénétrer au travers de ton esprit humain, dont l'intellect, semblable à une lentille imparfaite, brouilla et altéra tout, te le faisant apparaître comme réel, en maintenant ta conscience continuellement occupée par des myriades d'illusions de ton monde de rêve.

9. — Or, l'intellect est la créature du Désir. Complètement dominé par ce dernier, il n'est pas,

comme beaucoup l'ont supposé, une faculté de l'Ame. En d'autres mots, ce brouillard n'était pas autre chose que la lentille brouillée de ton intellect humain lequel, dominé par le Désir, interpréta faussement et transmit à ta conscience toute image, idée ou impulsion que Je t'inspirai du dedans ou que J'attirai à toi du dehors, durant le processus par lequel Je t'éveillai à la reconnaissance de Mon Idée existant au-dedans, où elle lutte toujours pour s'exprimer matériellement.

10. — Toutefois, Je fis tout ceci à dessein, au moyen du Désir, afin de te conduire, consciemment, jusqu'au centre des conditions matérielles.

11. — Et, cette fausse vision inspirée par le Désir fut la cause de beaucoup de heurts, de contrariétés et de souffrances. Tu perdis, graduellement, la confiance en toi-même, en Moi, l'Un, l'Impersonnel intérieur. Car, de fait, tu M'oublias de telle sorte que tu ne sus plus à qui recourir dans ton désarroi. Cependant, il était nécessaire qu'il en fut ainsi, car, en perdant de cette manière la mémoire de ton état Divin et en concentrant toute ta conscience dans ces conditions matérielles et terrestres, Je pouvais développer ton esprit, ta volonté humaine et toutes ses fa-

cultés, et doter ton corps humain de la forme et du pouvoir qui devaient Me mettre en état de donner une expression parfaite à Mon Idée Divine, ce qui doit être, tôt ou tard sur la Terre.

12. — Ainsi, en raison de tes erreurs, de tes peines et de tes souffrances, le désir de te voir libéré d'eux fit que l'idée du Mal naquit dans ton esprit ; de même que, lorsque ces peines n'existaient pas, ce même désir t'inspira l'idée du Bien.

13. — Et tu attribuas, à tous les aspects des choses et des conditions, les qualités de Bien ou de Mal, selon qu'elles satisfaisaient ou non ton Désir, Mon Agent, en réalité Moi, humain, ou bien Toi, dans ta personnalité humaine.

14. — Mais, toutes les conditions et les expériences de la vie dans lesquelles tu entras, qui te semblèrent bonnes lorsqu'elles te plaisaient, et mauvaises quand elles te déplaisaient, ne furent que des incidents créés par le Désir pour stimuler, ou mettre en activité, certaines facultés intérieures qui devaient te mettre en état de reconnaître La Vérité que Moi, au-dedans de toi, désirais, à ce moment précis, imprimer en ta conscience. Le « Mal » apparent ou aspect positif du fruit de l'Arbre qui toujours t'a tenté par

son aspect séduisant et par les délices qu'il te procura lorsque tu le goûtas pour la première fois, t'engagea à en manger jusqu'à satiété ou, jusqu'à ce que ses effets nuisibles se manifestent en calamités contre toi, t'apportant une désillusion finale qui devait servir à te faire revenir, ou te faire accourir, honteux et humilié, à Moi, ton vrai et intime Moi qui, par la conscience nouvelle ainsi éveillée, serait capable d'extraire l'essence du fruit et puis de l'incorporer dans la substance de l'Ame et dans son mode d'être.

15. — Le « Bien » apparent, ou aspect *négatif* du fruit, qui s'était par lui-même mis en expression par ta reconnaissance et ton obéissance à son impulsion, te permettait de jouir de ses effets heureux et naturels et de recevoir les avantages matériels résultant de Mon inspiration et de Mon affectueuse direction.

16. — Mais ce toi, guidé par le Désir à travers toutes ces expériences, ne fut que ta personnalité humaine, éduquée, développée et préparée par le vrai Toi, afin de faire d'elle un instrument parfait pour ton usage, dans l'expression de Mon Idée qui cherche, instamment, à manifester matériellement sa perfection dans la chair.

17. — Et tu fis tout cela, obligeant ta personnalité humaine non seulement à manger du fruit de ce que l'on appelle l'Arbre de la Science du Bien et du Mal, mais encore à en vivre, jusqu'à ce que tu eusses vu et connu tout ce qu'on appelle le « Mal ». Et, pour avoir vécu de lui et avec lui, tu découvris en lui le germe de ce qu'on appelle le Bien. Le recueillant, tu l'examinas sous tous ses aspects jusqu'à trouver sa réalité et, depuis ce temps, tu sus alors que le bien et le mal n'existaient pas réellement, mais qu'ils n'étaient que des concepts relatifs indiquant des conditions matérielles, jugées de différents points de vue, ou bien de différents aspects matériels d'une Vérité centrale intérieure, dont tu aspirais à connaître, à être et à exprimer la Réalité.

18. — Et ainsi, au cours des derniers âges, tu as éliminé graduellement de ta conscience humaine, couche après couche, le brouillard ou l'enchantement jeté sur ton esprit par ton intellect, le soumettant, le dominant, le spiritualisant et le clarifiant jusqu'à ce qu'enfin tu commences, maintenant, à t'éveiller et à voir, de temps à autre, à travers les dernières couches qui s'amincissent progressivement, des lueurs de

Moi, l'Unique et Grande Réalité qui est au-dedans de toutes choses.

19. — Mais, pendant tout ce temps, Toi, ton Omniscient et Impersonnel Je Suis, faisais tout cela consciemment et intentionnellement, non pas dans le but d'acquérir la connaissance des conditions et des choses matérielles, comme l'a proclamé si haut et si autoritairement ton intellect, mais pour que tu puisses recueillir ce que tu avais semé dans les âges obscurs du passé, et pour être en état de manifester Mon Idée parfaite sur la Terre, telle que Tu la manifestes dès maintenant dans l'état Impersonnel, Ta Demeure Céleste.

20. — Souviens-toi, Tu es le grand Moi Impersonnel, Moi qui fais tout cela, qui change continuellement d'aspect matériel, mais qui, intérieurement, SUIS éternellement le même.

21. — Le constant renouvellement des saisons : le printemps, avec ses semences laborieuses ; l'été, avec sa chaleur et sa tranquille maturation ; l'automne, avec ses opulentes moissons et l'hiver avec sa froidure, sa paix et ses réserves ; année après année, vie après vie, siècle après siècle, âge après âge, n'est que l'expression de Mon Idée, telle que Je l'inspire à travers la

Terre comme à travers Toi, Mon Attribut, et à travers tous Mes autres Attributs, au cours de la manifestation matérielle de la perfection de Ma Nature.

22. — Oui, Je le fais par Toi, parce que Tu es une de Mes expressions, parce que c'est seulement par Toi, Mon Attribut, que Je peux M'exprimer, que Je peux Etre. Je Suis, parce que Tu es ; Tu es parce que Je M'exprime Moi-Même.

23. — Je Suis en Toi, comme le chêne est dans le gland. Tu es Moi, comme le rayon de soleil est le Soleil. Tu es une phase de Moi en expression, Toi, un de Mes Attributs Divins qui, éternellement, s'efforce d'exprimer Ma Perfection à travers et au moyen de ta personnalité humaine.

24. — De même que l'artiste voit dans son esprit le tableau parfait qu'il désire peindre, alors que sa main ne peut reproduire fidèlement sur la toile, par les moyens imparfaits du pinceau et des couleurs, l'idée vraie et les effets qu'il voit, ainsi Tu Me vois au-dedans de toi-même et Tu sais que nous sommes Un. Cependant, l'imperfection de la matière terrestre, de ta personnalité humaine avec son corps animal, son esprit humain et son intellect égoïste, t'empêchent de le réaliser complètement.

25. — Oui, J'ai créé ton corps, ton esprit et ton intellect, afin de M'exprimer Moi-Même par toi. J'ai créé le corps à l'image de Ma Perfection. Je t'ai donné l'esprit pour qu'il t'informe de Moi et de Mes Œuvres, l'intellect pour qu'il interprète Mon Idée, selon que Je l'ai inspirée à ton esprit. Mais les phases humaines de ce corps, de l'esprit et de ton intellect t'ont distrait de telle sorte que tu M'as oublié, Moi, l'Unique Réalité intérieure dont la Nature Divine cherche toujours à s'exprimer, à toi et par toi.

26. — Cependant, le temps viendra bientôt, où l'usage matériel de ces instruments ne te distraira plus ; Ma Réalité te sera alors révélée, au-dedans de toi, dans toute la grandeur de Sa Perfection.

27. — Mais, quand Je Me révélerai ainsi à toi, tu ne seras pas plus heureux qu'auparavant, à moins que cette révélation ne soit pour toi le Pain de Vie et que tu ne vives et manifestes la Vie (Impersonnelle) ainsi révélée.

## — XI —

## L'USAGE

1. — C'est à dessein que Je n'ai pas exposé clairement ici le pourquoi et le comment de ces choses. Je Me Suis réservé de te l'inspirer du *dedans*, avec une vision exacte du déploiement et du développement de Mon Idée Divine et de Son expression finale, d'une manière beaucoup plus compréhensible que ce n'est décrit ici ; quand tu Me demanderas que Je t'éclaire et que tu seras en état de le recevoir.

2. — Si Je te disais ici la signification réelle de Mes nombreuses manifestations, avant que tu ne sois capable de réaliser consciemment leur vérité, tu ne croirais pas Mes Paroles et tu ne comprendrais pas leur application cachée et leur usage.

3. — Donc, selon que Je commence à éveil-

ler en toi la conscience de ce que Je Suis audedans de toi, afin que ta conscience humaine devienne de plus en plus un conduit Impersonnel, par lequel Je puisse M'exprimer, Je te révélerai, graduellement, la Réalité de Mon Idée en dissipant, une par une, les illusions qui à travers les âges M'ont caché à toi, Me permettant de manifester par toi sur la Terre, Mes Attributs Célestes dans toute leur Perfection humainement Divine.

4. — Je ne t'ai donné, en tout cela, qu'une lueur de Ma Réalité. Mais, dans la mesure où ce qui t'a été révélé t'est compréhensible, il te sera donné davantage du dedans de toi et ceci sera bien plus merveilleux que ce qui t'a déjà été révélé.

5. — Lorsque Mon Idée, qui est au-dedans, resplendira enfin clairement à travers ton manteau de chair, elle te fera M'adorer et Me glorifier plus consciemment que tu n'adores maintenant ce Dieu conçu par ton esprit et par ton intellect humains.

6. — Mais, avant d'être conscient de tout cela et capable de le comprendre vraiment, toi et ta personnalité humaine devez Me donner la possibilité de te le révéler, en accourant à Moi, inté-

rieurement, comme à la Seule et Unique Source de tout savoir, M'apportant ta mesure absolument vide du moi personnel, avec un esprit et un cœur aussi simples et confiants que ceux d'un enfant.

7. — Alors, et seulement alors, quand il ne restera rien de la conscience personnelle pour M'empêcher de te combler jusqu'à ce que tu sois pleinement imprégné de Ma Conscience, alors, Je pourrai te montrer la Gloire de Ma véritable Signification dont ce Message n'est que la préparation matérielle.

8. — Cependant, le moment est venu pour toi d'en comprendre quelque chose. Il t'en a été révélé suffisamment pour que tu sois préparé à reconnaître Ma Voix qui parle au-dedans de toi.

9. — Aussi, J'agirai maintenant comme si tu sentais déjà la réalité de ce que Je Suis au-dedans de toi. Les vérités que J'enseigne par ces pages n'ont pas d'autre but que celui d'imprégner plus fortement dans ta conscience ces phases de Mon Idée, que tu ne pourrais recevoir directement avec clarté.

10. — Ce qui, dans cet exposé, te paraît être la vérité, n'est que la confirmation du fait que Mon Idée a, jusqu'à présent, lutté du dedans de toi pour s'exprimer extérieurement.

11. — Ainsi, laisse de côté ce qui ne t'impressionne pas et ce que tu ne reconnais pas comme tien, car cela signifie que Je ne désire pas que tu le reçoives encore.

12. — Mais, chacune des Vérités que J'enseigne ici continuera à vibrer, jusqu'à ce qu'elle arrive aux esprits que J'ai préparés pour la recevoir. Chaque parole est remplie du pouvoir puissant de Mon Idée et pour les esprits qui perçoivent la Vérité cachée dans ces paroles, cette Vérité se change en Réalité vivante, laquelle n'est qu'une certaine phase de Mon Idée que ces esprits sont maintenant dignes et capables d'exprimer.

13. — Comme tous les esprits ne sont que des phases de Mon Esprit Infini, ou des parties de Lui qui se manifestent sous des formes distinctes de nature finie, quand Je parle à ton esprit, ou à d'autres esprits, au moyen de ce Message, Je ne parle qu'à Mon Moi humain qui pense avec Mon Esprit Infini, en donnant l'impulsion à Mon Idée pour s'exprimer matériellement.

14. — Bientôt, tu penseras Mes Pensées et tu seras conscient que c'est Moi qui parle au-dedans de toi, directement à ta conscience humaine. Alors, tu n'auras plus à recourir à ce livre, ni

à n'importe quelles autres de Mes Révélations parlées ou écrites, pour la perception de Ma Signification.

15. — Car, ne Suis-Je pas au-dedans de toi, ne Suis-Je pas Toi, n'es-tu pas Un avec Moi qui vis et M'exprime au moyen de la conscience de tous les esprits et sais toutes choses ?

16. — Tout ce qui te reste à faire est d'entrer dans l'Omniconscience de Mon Esprit et d'y demeurer avec Moi, comme Mon Idée demeure dans ton esprit. Alors, toutes les choses seront tiennes, comme elles sont maintenant Miennes, puisqu'elles ne sont que *l'expression matérielle* de Mon Idée et n'existent qu'en raison de la conscience dont elles furent dotées quand, en les pensant, Je leur donnai d'être.

17. — Tout ceci n'est qu'une question de conscience et ne dépend que de ta pensée consciente. Tu n'es séparé de Moi que parce que tu penses que tu l'es. Ton esprit n'est qu'un point focal de Mon Esprit. Si tu voulais comprendre, tu saurais que ce que tu appelles ta conscience est aussi Ma Conscience. Tu ne peux penser, et encore moins respirer ou exister, sans que Ma Conscience ne soit en toi, comprends-tu cela ?

18. — Eh bien, alors pense, crois que tu es

Moi, que nous ne sommes pas séparés, qu'il nous serait impossible de l'être, puisque *nous sommes Un :* Moi, au-dedans de Toi et Toi au-dedans de Moi. Pense qu'il en est ainsi ! Imagine-le intensément ! Et, en vérité, au moment même où tu en es conscient, tu es avec Moi aux Cieux.

19. — Tu es ce que tu crois être. Rien n'est réel dans ta vie, ou n'a de valeur pour toi que ce que ta pensée ou ta croyance lui donne.

20. — Donc, ne pense plus que tu es séparé de Moi. Demeure avec Moi dans le Royaume Impersonnel où tout Pouvoir, toute Sagesse et tout Amour, l'Essence triple de Mon Idée, n'attend que de s'exprimer par toi.

21. — J'ai parlé beaucoup sur ce sujet. Apparemment, J'ai dit la même chose plus d'une fois quoique par des paroles différentes. Mais, Je l'ai fait à dessein, présentant Ma Signification sous différents points de vue afin de te faire comprendre Mon Impersonnalité Divine laquelle est, en réalité, Ton Impersonnalité.

22. — Oui, J'ai répété et continuerai de répéter beaucoup de vérités qui peuvent te sembler ennuyeuses ou sans nécessité. Mais si tu lis attentivement, tu verras que chaque fois que Je répète une Vérité, J'ajoute toujours quelque cho-

se à ce qui a déjà été dit, et qu'une impression, chaque fois plus forte et plus durable, se fait dans ton esprit.

23. — S'il en est ainsi, J'ai atteint Mon but et bientôt tu arriveras à percevoir et à sentir en ton âme la réalité de cette Vérité.

24. — Mais, si tu ne reçois pas cette impression et que tu crois encore que cette répétition est une perte inutile de paroles et de temps, sache que c'est uniquement ton intellect qui a lu et que Ma véritable Signification t'a complètement échappé.

25. — Toutefois, toi qui comprends, tu aimeras chaque mot. Tu liras et reliras souvent ce Message et par conséquent, tu recevras toutes les perles de Sagesse que Je réserve pour toi.

26. — Désormais, ce livre et son Message seront pour toi une source d'inspiration, ou une porte, par laquelle tu pourras accéder à l'état Impersonnel et célébrer une douce communion avec Moi, ton Père qui est aux Cieux. A ce moment-là, Je t'enseignerai tout ce que tu désires connaître ou savoir.

27. — Je Suis venu te présenter l'état Impersonnel sous de nombreux aspects, afin de te familiariser avec lui de telle sorte que tu puisses,

sans te tromper, le distinguer de tous les états inférieurs et que tu apprennes à vivre consciemment en cet état, à volonté.

28. — Quand tu pourras vivre consciemment en cet état, de sorte que Mes Paroles trouvent un écho et une compréhension en ton esprit, alors Je te permettrai d'employer certaines facultés que J'ai éveillées en toi. Ces facultés te permettront de voir plus clairement la réalité des choses, non seulement les qualités des personnes qui t'entourent, mais aussi leurs faiblesses et leurs défauts.

29. — Mais le fait que tu es capable de voir ces défauts et ces erreurs n'est pas une raison pour que tu juges ou critiques ton frère, mais pour que Je puisse éveiller en toi une résolution définitive de vaincre et de supprimer ces défauts et ces erreurs de ta propre personnalité. Car, note-le bien : *Tu ne les remarquerais pas chez les autres s'ils n'étaient encore présents en toi !* Et Moi, au-dedans de toi, Je n'aurais pas besoin d'appeler ton attention sur eux.

30. — Et, comme toutes choses sont pour l'usage et pour l'usage seulement, examinons ce que, jusqu'à présent, tu as fait des autres facultés, dons et pouvoirs que Je t'ai donnés.

31. — Tu dois maintenant comprendre que c'est Moi qui t'ai tout donné. Tout ce que tu as ou ce que tu es, que ce soit bon ou mauvais, la paix ou la souffrance, le succès ou l'échec, la richesse ou la pauvreté, Je te l'ai donné ou l'ai attiré vers toi. Pourquoi ? Pour en faire usage, pour t'éveiller à la connaissance de Moi et pour que tu Me reconnaisses comme en étant le Donateur.

32. — Oui, tout ce que tu possèdes a son usage. Si tu n'es pas conscient de cet usage, c'est seulement parce que tu ne peux encore Me reconnaître comme le Donateur de tout ce que tu as.

33. — Or, tu ne peux Me reconnaître vraiment comme tel qu'au moment de savoir que Je Suis le Donateur. En vérité, ta personnalité s'est tant égarée, en essayant de se défaire ou de changer les choses que Je t'ai données pour d'autres que tu pensais être meilleures que, naturellement, tu ne pouvais imaginer que l'origine de tout est en toi. Tu ne pouvais encore moins Me reconnaître, Moi, ton intime Moi, comme le Donateur de tout ce que tu possèdes.

34. — Mais, peut-être Me reconnais-tu maintenant comme le Donateur de tout, comme l'Es-

sence intime et le Créateur de toutes choses, en relation avec ton monde et avec ta vie, même de ton attitude actuelle envers ces choses.

35. — Les deux sont Mon Œuvre, puisqu'elles ne sont que les phases matérielles du processus que J'emploie pour exprimer Mon Idée de ta Perfection intérieure laquelle étant Ma Perfection, est en voie de se développer, de se déployer, graduellement, au-dedans de toi.

36. — A mesure que tu réaliseras ceci, il te sera révélé la vraie signification ou l'usage des choses, des conditions et des expériences que Je t'envoie. Alors, tu commenceras à percevoir une lueur de Mon Idée intérieure et, en percevant cette lueur, tu commenceras à Me connaître, Moi, ton Intime et Vrai Moi.

37. — Mais, avant que tu puisses vraiment Me connaître, il faut que tu saches que toutes les choses que Je te donne sont bonnes, qu'elles existent pour que tu en fasses usage, Mon usage ; que toi, personnellement, n'a aucun intérêt en elles et qu'elles ne sont d'aucun profit réel pour toi, si elles ne servent à mes Desseins.

38. — Je peux exprimer par toi de belles symphonies de sons, de couleurs ou de langages. Elles peuvent se manifester comme musique, art

ou poésie, conformément à la terminologie humaine, impressionnant les autres de telle sorte qu'ils te feront acclamer comme un des plus grands hommes de ces temps.

39. — Je peux parler par ta bouche ou t'inspirer d'écrire de belles vérités, ce qui, peut-être, attirera à toi beaucoup d'admirateurs qui te proclameront comme le prédicateur ou le précepteur le plus admirable ;

40. — Je peux encore, par toi, guérir diverses maladies, chasser les démons, rendre la vue aux aveugles, faire marcher les paralytiques et produire d'autres œuvres merveilleuses que le monde appelle miracles.

41. — Oui, Je peux faire toutes ces choses par toi. Mais, aucune d'elles ne peut te profiter personnellement, à moins que tu n'emploies et appliques ces harmonies du son à chacune des paroles que tu dis, afin qu'elles paraissent être une douce musique céleste à ceux qui t'écoutent et, à moins que ton sens de la couleur et de la proportion ne se manifeste dans ta vie de telle sorte que, seules, des pensées de beauté, de bonté, d'élévation ou d'altruisme émanent de toi. Ceci prouvera que l'art vrai consiste à voir clairement Ma Perfection dans toutes Mes expressions

humaines et à permettre que le pouvoir vivifiant de Mon Amour soit versé par toi dans leur cœur et présente à leur vision intérieure Mon Image cachée au-dedans.

42. — De même, tu n'as aucun mérite, bien que tu dises de merveilleuses vérités et exécutes des œuvres splendides que Je fais par toi, si toi-même tu ne vis pas ces vérités, jour par jour, heure par heure et ne fais en sorte que ces œuvres servent constamment, en souvenir de Moi et de Mon Pouvoir auquel Je te fais toujours libéralement participer, à toi, Mon fils bien-aimé, ainsi qu'à tous, pour qu'il soit utilisé à Mon Service.

43. — A toi à qui, apparemment, Je n'ai accordé aucun de ces dons, qui te crois indigne et non encore suffisamment avancé pour Me servir de cette manière, à toi, Je dirai ceci :

44. — Exactement dans la proportion où tu Me reconnais réellement au-dedans de toi et cherches vraiment à Me servir avec zèle, précisément, dans cette même proportion, Je Me servirai de toi, malgré ta personnalité et ses défauts, ses tendances et ses faiblesses.

45. — Oui, Je ferai que toi qui cherches ainsi à Me servir, tu accomplisses les choses admirables destinées à vivifier et à réveiller tes frères

à la reconnaissance de Moi. Je ferai aussi que tu influences et affectes les vies de plusieurs de ceux avec lesquels tu es en contact, en les inspirant et en les élevant à de plus hauts idéaux, changeant leur manière de penser et leurs attitudes envers leurs semblables, et par là, aussi envers Moi.

46. — Oui, vous autres qui cherchez à Me servir, quels que soient vos dons, Je ferai de vous une force vitale pour le bien de la communauté, modifiant le mode de vie de beaucoup, en inspirant et dirigeant leurs ambitions et leurs aspirations. Je favoriserai ainsi votre influence vivifiante au milieu des activités mondaines dans lesquelles Je vous placerai.

47. — Mais, dans ces moments-là, tu ne le sauras probablement pas. Il est possible que tu aies encore le désir de Me servir, pensant que tu ne fais rien de ce que tu dois faire, que tu ne vis pas selon ton idéal élevé de Moi. Tu ne comprends pas que cette ambition et ce fervent désir sont les moyens par lesquels Je déverse Ma Force Spirituelle et entièrement Impersonnelle, pour être utilisée par toi, sans que tu te rendes compte que c'est Moi, au-dedans de toi, qui l'utilise pour atteindre Mon but dans

ton cœur et dans ta vie, ainsi que dans les cœurs et les vies de Mes et de tes autres « Moi ».

48. — Finalement selon que tu commences à comprendre tout ceci — car tu le comprendras certainement — et que tu le prouves par l'emploi pratique de tout ce dont tu disposes à Mon service, Je te donnerai, graduellement, la force et l'habileté d'user consciemment et Impersonnellement de Mon Pouvoir, de Ma Sagesse et de Mon Amour, pour exprimer Mon Idée Divine, qui lutte éternellement pour manifester Sa Perfection par toi.

49. — Ainsi, tu verras bientôt que ta personnalité humaine avec toutes ses facultés, ses pouvoirs et ses possessions, qui en réalité sont Miens, mais opèrent et se manifestent par toi, est également, entièrement pour Mon Usage. Il n'y a de succès et de satisfaction véritables qu'en les utilisant de cette manière.

50. — De même que le grain semé engendre la moisson, de même l'usage développe l'habileté d'employer consciemment toutes Mes facultés spirituelles, pour l'expression parfaite de Mon Idée qui ne peut s'épanouir qu'au moyen de ta personnalité humaine.

## — XII —

## AMES COMPAGNES

1. — Examinons maintenant quelques-unes des choses que Je t'ai données et spécialement celles dont tu ne peux encore Me reconnaître comme le Donateur.

2. — Tu ne crois peut-être pas que la position que tu occupes maintenant soit la mieux adaptée pour l'expression de Mon Idée surgie audedans de toi.

3. — S'il en est ainsi, pourquoi alors n'abandonnes-tu pas cette position pour entrer dans une autre de ton choix ?

4. — Le seul fait que tu ne le peux ou ne le fais pas prouve que cette position est, présentement, la mieux appropriée pour éveiller en toi certaines qualités nécessaires à Mon expression parfaite. Moi, ton propre et intime Moi, t'obli-

ge à y rester jusqu'à ce que tu puisses reconnaître Mes Desseins et Ma Signification, cachés dans le pouvoir que telle position possède pour troubler la paix de ton esprit et de te garder ainsi mécontent.

5. — Quand tu connaîtras Ma Signification et que tu seras déterminé à faire de Mes Desseins tes desseins, alors, et alors seulement, Je te donnerai la force de sortir de cette position pour entrer dans une autre, plus élevée, que J'ai prévue pour toi.

6. — Tu penses peut-être que l'époux, ou l'épouse que Je t'ai donné, est loin d'être la personne qu'il te faut, ou celle qui soit capable de t'aider à ton réveil spirituel, et qu'au contraire elle n'est qu'un obstacle et un empêchement. Tu peux même, en secret, projeter de la laisser pour quelqu'un d'autre qui sympathise et s'unisse à toi dans tes aspirations et tes investigations et, pour cette raison, telle personne semble se rapprocher davantage de ton idéal.

7. — Tu peux fuir Mon premier choix, si tu le veux. Mais, sache que tu ne peux fuir ta propre personnalité. Dans son ardent désir d'une compagne ou d'un compagnon spirituel, elle peut seulement en attirer une qui te forcera à une

recherche dix fois plus longue et plus dure, parmi les illusions de l'esprit, avant que tu ne puisses te réveiller de nouveau à la conscience de Ma Voix qui parle au-dedans de toi.

8. — Car, une compagne ou un compagnon sympathique qui t'apprécierait n'alimentera en toi que l'orgueil personnel et le désir égoïste du pouvoir spirituel, en développant encore davantage le côté égoïste de ta nature. Tandis qu'un compagnon ou une compagne antipathique te fera rentrer en toi-même et t'obligera à recourir au-dedans de toi, où Je demeure.

9. — Mais, tant que tu ne demeures pas encore dans la Conscience de Mon Amour Impersonnel, une compagne ou un compagnon affectueux, fidèle et soumis ne ferait que stimuler en toi l'égoïsme et l'arrogance ; tandis qu'une personne despote, méfiante et d'humeur grondeuse t'imposerait la discipline d'âme dont tu as encore besoin et t'enseignerait ce que valent la résistance et la domination de soi-même.

10. — Si seulement tu le savais ! La personne qui s'acquitte du rôle de compagne auprès de toi, présentement, est en réalité un Ange du Ciel, de même que Toi, un Attribut de Mon Etre Divin, venu à toi pour t'enseigner, au moyen de

la tyrannie et de la résistance, et même, par un extrême égoïsme et un mauvais vouloir, que ce sera seulement lorsque tu auras purifié ta personnalité, éliminant ces ombres de qualités pour que Mon Saint Amour puisse s'exprimer librement par toi, que tu pourras te voir affranchi des conditions qui, maintenant, te causent un tel trouble mental et l'âme si malheureuse. Cette tyrannie et cette résistance, l'égoïsme et le mauvais vouloir ne sont que les ombres de qualités qui existent en toi et que la lumière de Mon Idée, brillant au-dedans, au travers de ta personnalité opaque, projette sur l'âme de ta compagne, ou de ton compagnon, l'obscurcissant, l'asservissant et l'enchaînant à sa personnalité. Et, en même temps, elle exagérera et altérera ces ombres de qualités dans sa personnalité, de telle sorte qu'elles frapperont tes yeux distinctement, déployant devant toi leur pouvoir de te troubler et de te harceler.

11. — Car, tant que tu ne pourras voir cette Ame attristée et enchaînée, cet Ange du Ciel, cette autre partie de Moi et de Toi-même qui est venue à toi et bat des ailes contre les barreaux de la cage de sa personnalité, dans laquelle tu coopères à la tenir prisonnière, pendant

qu'elle continue à lutter, s'efforçant d'exprimer en toi l'Amour Impersonnel, le sentiment tendre de profonde compassion envers les autres, le repos mental, la paix intérieure, la sereine et ferme domination de soi-même ce qui, seul, peut faire tomber ses chaînes et ouvrir les portes de sa prison, afin qu'elle puisse avoir la liberté de son propre être glorieux, jusqu'à ce que tu puisses voir cette âme, Je le répète, dans toute sa divine beauté, quoique étant malade et affaiblie par cette captivité terrestre, il ne te sera pas possible de trouver et de reconnaître l'idéal que tu cherches.

12. — Car cet idéal n'existe pas au dehors. Il n'existe en aucune autre personnalité, mais seulement au-dedans de toi, dans ton autre « Moi » Divin, Suprême et Immortel. Ce qui te fait voir les imperfections apparentes dans la compagne ou dans le compagnon que Je t'ai donné, c'est Mon Idée de ton « Moi » parfait qui s'efforce de s'exprimer et de se manifester par ta personnalité.

13. — Cependant, le temps viendra où tu cesseras de chercher au dehors l'amour et la sympathie, l'estime ou l'aide spirituelle, et tu accourras pour tout à Moi, en toi, et alors ces apparen-

tes imperfections disparaîtront. Tu ne verras dans ta compagne, ou dans ton compagnon, que le reflet des qualités de l'amour altruiste, la bonté, la confiance et un effort constant pour rendre les autres heureux. Ce reflet luira et resplendira continuellement de l'intérieur même de ton être.

14. — Peut-être ne peux-tu encore croire tout ceci, et doutes-tu même de ce que Moi, ton propre et intime Moi, Je Sois le seul responsable de ta position actuelle dans ta vie, ou que ce soit Moi qui ait choisi pour toi ta compagne ou ton compagnon actuel.

15. — S'il en est ainsi, il est bien que tu doutes jusqu'à ce que tout s'éclaire.

16. — Mais, souviens-toi de ceci : Je te parlerai avec beaucoup plus de clarté, directement du dedans de toi, si tu accours confiant à Moi, Me demandant Mon aide, car Je réserve Mes secrets les plus sacrés à ceux qui accourent à Moi avec une foi ferme et permanente, ainsi, Je satisferai chacun de leurs besoins.

17. — Cependant, à toi qui ne peut encore procéder ainsi, Je te dirai : Si ton propre et intime « Moi » ne t'a pas placé où tu es, si ce n'est pas lui qui t'a donné ce compagnon ou

cette compagne, alors pourquoi es-tu ici ? Et, pourquoi as-tu cette compagne ou ce compagnon ?

18. — Réfléchis !

19. — Moi, le Tout, le Parfait, ne Me trompe jamais.

20. — Oui, mais la personnalité se trompe, me dis-tu. Elle a choisi cette compagne et peut-être ne méritait-elle pas mieux.

21. — Mais, qui a fait que ta personnalité ait choisi cette compagne ou ce compagnon particulier qui occupe, précisément, cette position dans ta vie ? Qui a sélectionné et placé cette compagne ou ce compagnon à l'endroit où tu pouvais le choisir ? Qui t'a fait naître dans ce pays entre tous les pays et dans cette ville, entre toutes les villes du monde, et à cette époque, précisément ? Pourquoi ne fut-ce pas dans une autre ville, ou cent ans plus tard ? Réponds !

22. — Est-ce ta personnalité qui fit tout cela ?

23. — Réponds toi-même à ces questions, sincèrement et d'une manière satisfaisante, et tu sauras que Moi, Dieu en toi, ton propre et intime « Moi », fais tout ce que tu fais et Je le fais bien.

24. — Je fais tout, en même temps que J'ex-

prime Mon Idée, laquelle cherche toujours à se manifester dans une forme matérielle par Toi, Mon Attribut Divin, d'une façon parfaite, comme cela est dans l'Eternel, au-dedans.

25. — En ce qui concerne ta vraie Ame-Compagne, certains t'ont fait croire qu'elle t'attendait quelque part ? Cesse de la chercher, car elle n'existe pas, au dehors, en aucun autre corps, mais au-dedans de ta propre Ame.

26. — Ce qui au-dedans de toi demande à se compléter, c'est uniquement la sensation de Ma Présence qui aspire à être reconnue et exprimée. C'est Moi, ton propre et autre Moi Divin, la partie spirituelle de toi, ton autre « moitié » à laquelle tu dois t'unir, avant que tu puisses achever ce que tu es venu exprimer sur la Terre.

27. — Ceci est en vérité un mystère pour toi non encore uni, en conscience, avec ton intime Moi Impersonnel. Mais, n'en doutes pas, lorsque tu pourras venir à Moi, dans un abandon complet et que tu ne te préoccuperas plus que de ton union avec Moi, alors Je te révélerai les délices de l'Extase Céleste, que depuis longtemps Je réserve pour toi.

— XIII —

## MON AUTORITE

1. — A toi qui ressens encore le désir de lire des livres, pensant trouver en eux une explication des mystères qui, maintenant, te cachent la signification des expressions terrestres de Mon Idée, à toi, Je dis :

2. — Il est bien que, suivant les impulsions que Je t'envoie, tu cherches dans ce qui t'entoure les interprétations que d'autres donnent à la signification de Mon Idée qui s'exprime par eux car, Je ferai que cette recherche te soit profitable, quoique d'une autre manière que tu ne te l'imagines.

3. — De même, il est bien que tu cherches dans les enseignements, les philosophies et les religions actuels de ton peuple, ou dans ceux des autres races ou des autres peuples, la Véri-

té que Je désire t'exprimer, parce que même cette recherche ne sera pas vaine.

4. — Mais le temps viendra où tu te rendras compte que les pensées des autres esprits, les enseignements des autres religions, quelque belles ou vraies qu'elles soient, ne sont pas ceux que Je te destine. Je te réserve des pensées et des enseignements qui sont tiens, uniquement tiens, ceux que Je te donnerai en secret, quand tu seras prêt à les recevoir.

5. — Le temps viendra, et il arrivera inévitablement, où tu ne seras plus satisfait de ta recherche dans les enseignements des religions diverses, des philosophies et des cultes qui t'intéressent actuellement. Tu te décourageras en voyant que tu n'arrives pas à atteindre les pouvoirs et les développements spirituels décrits avec tant d'autorité, que sont supposés posséder les auteurs de ces livres, les maîtres des philosophies et les promulgateurs des religions. — Alors, Je te montrerai que tous ces livres, ces enseignements et ces religions furent inspirés, dès l'origine, par Moi et ont accompli, comme ils accomplissent encore, leur part de travail, éveillant les cœurs de beaucoup. Mais, pour toi, le moment est venu de ne plus recourir à aucune autorité

humaine. Tu dois limiter tes études à Mon Livre de Vie, guidé et instruit par Moi, intérieurement, et par Moi Seul. Si tu fais ceci, sérieusement et sincèrement, tu trouveras que Je t'ai choisi pour être le Grand Prêtre d'une religion, dont la gloire et la grandeur seront, par rapport à celles que tu as connues, ce que la lumière du Soleil est, comparée au rayon de l'étoile éloignée.

6. — Tu comprendras également que les religions anciennes furent données à Mes peuples des âges passés et que les religions des autres races sont pour Mes peuples des autres races. Aucune d'elles n'est pour toi, bien que J'aie appelé ton attention sur leurs beautés merveilleuses qui t'ont inspiré encore plus de détermination à Me chercher dans leurs enseignements.

7. — Mais, Je te dis : Tout ceci appartient au passé et n'a rien de commun avec toi. Le temps est venu, si tu peux le comprendre, où tu dois rejeter toute la connaissance accumulée de tous les enseignements, de toutes les religions, de toute autorité, même de Mon Autorité comme elle est exprimée, ici, et dans Mes autres révélations matérielles. Car, Je t'ai éveillé à la conscience de Ma Présence, au-dedans de toi.

Et du fait que toute autorité, toute philosophie ou toute religion d'origine humaine, quelque sublime ou grande qu'elle soit, ne peut plus avoir aucune influence sur toi, mais est uniquement un moyen de te faire accourir à Moi, au-dedans de toi, à la recherche de Mon Autorité dans tous les problèmes, de quelque nature qu'ils soient.

8. — Donc, pourquoi cherches-tu dans les choses du passé, dans la religion, dans la connaissance humaine ou dans l'expérience des autres, l'aide et la direction que Moi seul peux te donner ?

9. — Oublie tout ce qui, jusqu'à présent, s'est passé. Le passé est mort. Pourquoi charger ton âme de ce qui est mort ?

10. — Exactement dans la proportion où tu adhères au passé, tu vis encore dans le passé et tu ne peux rien avoir de commun avec Moi qui vis dans le toujours et Eternel Présent.

11. — Dans la mesure où tu adhéreras aux actes, aux expériences, aux religions ou aux enseignements passés, la vision de ton âme sera obscurcie, te cachant à Moi. Elle t'empêchera toujours de Me trouver, jusqu'à ce que tu te libères de leur influence obscurcissante et attei-

gnes la Lumière de Ma Conscience Impersonnelle qui ne connaît pas de limites et constitue la Réalité infinie de toutes choses.

12. — De même, le futur ne te concerne pas. Celui qui espère dans le futur pour sa perfection finale est enchaîné au passé et ne peut se libérer que si son esprit ne s'absorbe plus dans les conséquences de ses actes et Me reconnaît comme son Guide Unique, Me laissant toute la responsabilité.

13. — Toi qui es Un avec Moi, Tu es parfait dès maintenant. Tu l'as toujours été. Tu ne connais ni jeunesse, ni vieillesse, ni naissance, ni mort.

14. — Toi, le Parfait, tu n'as rien à voir avec ce qui a été et ce qui sera. Ne vois pas autre chose que l'éternel PRESENT. Ne t'embarrasse que de ce qui doit s'accomplir dans le moment même : comment tu dois exprimer parfaitement Mon Idée ici et maintenant, dans les conditions précises où Je t'ai placé, intentionnellement, pour telle expression.

15. — Une fois ceci accompli, pourquoi ne pas l'oublier ? Au lieu de le traîner avec toi, épuisant ton esprit et ton âme de ses effets

qui ne sont que des coques vides d'où tu as extrait la pulpe.

16. — Tout ceci se rapporte à la réincarnation, croyance à laquelle beaucoup d'esprits sont fortement enchaînés.

17. — Qu'as-tu à voir, Toi, le Parfait, l'Eternel, avec les incarnations passées ou futures ? Le Parfait peut-il ajouter quelque chose à Sa Perfection, ou l'Eternel sortir ou retourner dans l'Eternité ?

18. — Je Suis et Tu es Un avec Moi. Toujours tu l'as été et toujours tu le seras. Ton Je Suis Impersonnel, demeure et se réincarne dans TOUS les corps, dans le seul but d'exprimer Mon Idée.

19. — L'Humanité est Mon Corps. En lui Je vis, Je Me meus et J'ai Mon Etre. J'exprime la Lumière Glorieuse de Mon Idée par Mes Attributs dont la Splendeur Céleste est obscurcie et altérée par la vision humaine, par les myriades de facettes voilées et imparfaites de l'intellect humain.

20. — Moi et Toi qui sommes Un, nous réincarnons dans l'Humanité, comme le chêne se réincarne dans ses feuilles et dans ses glands, saison après saison, et de nouveau dans les mille

chênes nés de leurs mille glands, génération après génération.

21. — Mais, tu dis que tu te souviens de tes vies passées.

22. — Vraiment, en es-tu sûr ?

23. — Très bien ! Mais, si Je t'ai permis de percevoir une lueur de la Réalité d'une de Mes expressions passées, afin que tu puisses mieux comprendre Ma Signification que Je t'exprime maintenant, ce n'est pas une assurance de Ma part de ce que toi, personnellement, fus Mon instrument pour cette expression.

24. — Car, est-ce que Je ne M'exprime pas par tous les instruments, et Toi avec Moi ne sommes-nous pas la Vie et l'Intelligence de toute expression ; peu importe de quel caractère, âge ou race elle soit ?

25. — Mais, s'il te plaît de croire que tu fus réellement cette expression, c'est bien. Je ferai que cette croyance te soit profitable, mais seulement en vue de te préparer à la grande perception qui viendra ensuite.

26. — En attendant, tu es fortement enchaîné. Ta personnalité, avec ses désirs et ses aspirations égoïstes, est encore attachée des pieds et des mains au passé. Elle espère uniquement

dans le futur pour se libérer, après avoir finalement épuisé toutes les conséquences de ses actes. Elle domine ton esprit et ton intellect avec cette fausse croyance en une naissance et en une mort, ainsi qu'avec l'idée que ceci est ton unique moyen d'arriver à l'émancipation finale et à l'union avec Moi. Elle t'empêche ainsi de te rendre compte de notre Unité, Eternelle et Immuable et de ton pouvoir de te libérer, toi-même, au moment où tu le veux.

27. — Car, c'est uniquement la personnalité qui naît et qui meurt, qui cherche et aspire à prolonger son séjour dans le corps et dans la vie terrestres, et à retourner ensuite dans d'autres corps.

28. — C'est seulement à cette personnalité à laquelle tu es liée par les croyances et les opinions que tu t'es inculquées à travers les âges, pendant lesquels tu as tenu ton esprit attaché à de telles erreurs. Or, c'est seulement lorsque tu pourras t'élever, te rendant compte de ton Immortalité, de ton Omnipotence et de ton Intelligence divines, que tu parviendras à te défaire de toutes tes opinions et croyances personnelles. Seulement alors, tu pourras te libérer de toutes

tes faiblesses et prendre ta véritable place de Maître et Roi, Un avec Moi, siègeant sur le trône du Moi. Ta personnalité se trouvera ainsi obligée de se mettre à la place naturelle qui lui est due, celle d'un sujet, ou d'une servante prompte à obéir et disposée à exécuter Mes ordres les plus légers, devenant ainsi un instrument digne de Mon Usage.

## — XIV —

## LES MEDIUMS ET LES MEDIATEURS

1. — Toi, qui dans ton désir de Me servir t'es joint à quelque église, organisation, société occulte ou ordre spirituel quelconque, croyant Me plaire par le fait de les aider dans leurs travaux ou de les soutenir, et qu'en conséquence tu pourrais recevoir des faveurs spéciales de Moi, écoute et médite ces Paroles :

2. — En premier lieu, sache que Je Suis déjà content de toi, parce que tu ne fais rien que Je ne te fasse faire. Tu le fais pour accomplir Mes Desseins, quoique, parfois, il te semble que tu agisses contrairement à Ma Volonté, et seulement, pour satisfaire tes propres désirs.

3. — Sache aussi que Je procure à tous les esprits des expériences de la vie, que J'utilise seulement pour préparer le corps, éveiller le

cœur et développer la conscience, afin qu'ils parviennent à Me comprendre, et qu'ainsi Je puisse exprimer Mon Idée par eux.

4. — Je fais entrevoir aux esprits des lueurs de Moi et de Mon Idée. Au cours de ces expériences, et par l'inspiration, J'ai parlé à beaucoup qui ont reçu Ma Parole. Ils l'ont écrite et enseignée à d'autres esprits. Et J'ai fait que ces Paroles éveillent les cœurs et les consciences de ceux qui sont préparés à les recevoir, quoique les auteurs et les précepteurs n'aient pas, réellement, compris la Signification de Mon Idée.

5. — Nombreux sont ceux que Je convertis en maîtres et instructeurs auxquels J'inspire l'esprit, en leur donnant des lueurs de Moi et de Mon Idée. Ils organisent alors des églises, des sociétés et des cultes, attirant à eux de futurs disciples, ou des curieux pour que Moi, Je prononce par eux des paroles afin d'éveiller les cœurs et les esprits de ceux qui sont préparés à Me connaître.

6. — Mais, c'est Moi, l'Un Impersonnel audedans, qui fais tout, puisque les maîtres et les guides ne font rien, personnellement, que servir de conduits, par lesquels Mon Idée peut s'exprimer à la conscience de ceux que, dans ce but, Je leur amène.

7. — L'esprit est seulement un conduit, et l'intellect un instrument, dont Je fais usage, Impersonnellement, à l'heure et partout où il est nécessaire d'exprimer Mon Idée. Aussi longtemps que le cœur ne s'éveille et ne s'ouvre complètement pour Me contenir, l'homme ne peut, avec son esprit et son intellect humains, comprendre consciemment Ma Signification quand J'exprime Mon Idée par lui.

8. — Toi, dans ton désir de Me servir, tu peux avoir rencontré, dans quelque maître ou instructeur, une personnalité que tu crois — par les paroles en apparence admirables que Je prononce par lui — qu'il Me contient dans son cœur.

9. — Dans tes doutes et dans ton anxiété de Me plaire, dans ta crainte de Me déplaire quand tu désobéis à Mes commandements, tu as pu avoir recours à tel maître ou guide qui, peut-être, se prétend un prêtre ou une prêtresse du Tout-Puissant, croyant recevoir de lui Mon Message pour toi, ou bien des paroles de secours et des conseils de quelque « maître » spirituel de la vie, en lequel tu as cru voir Mon Envoyé.

10. — Tu peux accourir à lui, si tu le veux. Mais c'est réellement Moi qui te mets dans une telle alternative, si tu ne veux ou ne peux

être satisfait en attendant Ma réponse et en ayant confiance en Mon aide que Je te donnerai en temps voulu et de la manière que Je déterminerai.

11. — Oui, Je t'envoie même à lui et Je te laisse mettre toute ta foi et toute ta confiance en tel prêtre ou en telle prêtresse. Je leur permets de te donner tous les conseils « spirituels » et les enseignements que tu peux recevoir de tel maître, ou guide, jusqu'à ce que finalement, triste et humilié par la désillusion qui, un jour ou l'autre, surviendra inévitablement, tu sois de nouveau obligé de revenir à Moi, ton propre et intime Moi.

12. — Oui, toutes les impostures, toutes les mortifications, tout le profit de votre ardeur et de votre dévotion, sans parler de votre argent et de vos services, ainsi offerts pour ce que vous croyez être Mon Œuvre, et que les imposteurs vous soustraient égoïstement en les utilisant pour construire et affermir leur pouvoir personnel et leur prestige parmi les disciples. Ils flattent alors chacun de vous d'une manière sagace et vous entretiennent de promesses d'avancement spirituel avec un sophisme adroit, sous l'apparence de beaux et pompeux enseignements spi-

rituels, pour vous tenir attachés à eux et pour que vous continuiez à les soutenir, à les honorer et à les glorifier, alors qu'ils maintiennent suspendue sur vous la menace de Ma colère, si vous ne leur prêtez une confiance et une obéissance aveugles. Oui, Je vous envoie tout cela, parce que vous le désirez et le cherchez et que le Désir est, en vérité, l'agent de Ma Volonté.

13. — Il est possible que tu donnes ton amour, ta dévotion, et ton obéissance à quelque maître — dans le monde visible ou invisible, peu importe à quel degré loyal, bien intentionné et spirituellement sage qu'il puisse être — et qui, crois-tu, ne peut être classé parmi ceux que Je viens de mentionner et dont tu reçois ce que tu penses être des enseignements de valeur inestimable.

14. — Tout ceci est bien, tant que tu reçois ce que tu cherches, pensant en avoir besoin, car Je pourvois à tout pour que tes désirs soient satisfaits. Mais, sache que tout ceci est vain et incapable de donner tous les résultats réels et recherchés, car toute recherche et tout désir d'avancement spirituel appartiennent à la personnalité : ils sont donc égoïstes et conduisent, finalement, au désappointement, à la désillusion et à l'humiliation.

15. — Mais, si tu parviens à le comprendre, c'est par la désillusion et l'humiliation que les véritables résultats sont atteints, car Je les ai prévues pour toi et Je t'ai guidé vers elles en te présentant la possibilité d'obtenir une aide de la part de quelque maître humain. Cette désillusion et cette humiliation, Je te les aie envoyées intentionnellement afin que, devenant encore plus humble et docile qu'un enfant, tu te trouves plus disposé à écouter et à obéir à Ma Parole au-dedans de toi, pour qu'en l'entendant et en lui obéissant, tu puisses entrer dans Mon Royaume.

16. — Oui, toute recherche extérieure se terminera ainsi et te fera revenir à Moi, épuisé, nu, affamé, désireux d'écouter Mon Enseignement et de faire n'importe quoi, pour une miette de Mon Pain, que tu avais dédaigné dans ton obstination et ta suffisance, ne le croyant pas assez bon pour ton esprit orgueilleux.

17. — Mais, maintenant, si tu es fatigué des enseignements et des maîtres, et si tu es sûr qu'en toi-même existe la source de toute Sagesse, ces Paroles apporteront une joie indicible à ton cœur. Car, ne confirment-elles pas la notion

de Vérité que tu as déjà perçue au-dedans de toi-même ?

18. — Pour toi, qui ne peux encore comprendre ceci et as encore besoin d'un Médiateur, J'ai suscité le Christ crucifié pour ta rédemption, pour te montrer comment tu dois vivre afin que, par la crucifixion de ta personnalité, tu puisses, en conscience, t'élever à l'union avec Moi.

19. — Mais, Je te le dis, à toi qui es assez fort pour le recevoir, tu n'as pas besoin de Médiateur entre toi et Moi, puisque nous sommes déjà Un. Si tu le savais, tu pourrais venir directement, et à l'instant même, consciemment à Moi, Moi, Dieu en toi. Je te recevrais et tu demeurerais avec Moi pour toujours, comme le fait Mon Fils Jésus, l'homme de Nazareth, par Qui Je M'exprime encore maintenant, comme Je le fis il y a près de deux mille ans, et comme un jour Je M'exprimerai par toi.

20. — A toi, qui te demandes comment et pourquoi J'exprime de si beaux et spirituels enseignements par des personnes qui ne vivent pas, apparemment, en accord avec les enseignements qu'elles te donnent, Je te dirai :

21. — Je fais usage, Impersonnellement, de tous les moyens pour exprimer Ma Signification.

22. — Quelques-uns ont été préparés par Moi pour être de meilleurs moyens d'expression que d'autres, bien qu'ils ignorent tout de Moi, personnellement.

23. — Pour d'autres, J'ai éveillé leur cœur pour qu'ils Me contiennent mieux, s'unifiant ainsi plus consciemment à Moi.

24. — D'autres encore sont unis à Moi de telle manière qu'ils ne sont plus séparés de Moi en conscience, ce sont ceux en qui J'ai la Vie, le Mouvement et exprime Ma Nature Spirituelle.

25. — Depuis les premières époques d'expression sur la Terre, c'est Moi qui ai préparé Mes Prêtres, Mes Prophètes et Mes Messies, pour qu'ils donnent au monde une vision de Mon Idée, Mon Verbe qui, finalement, se fera chair.

26. — Mais, soit que Je te parle par un Prêtre, par un Prophète, par un Messie, par un enfant, ou par ton pire ennemi, tous les mots qui ont une importance vitale pour toi sont les paroles que ton Je Suis transmet par l'organe de tel médium à la conscience de ton Ame.

27. — Si quelques-uns d'entre vous se réunissent pour entendre Ma Parole exprimée par un de Mes Prêtres, ce n'est pas le Prêtre qui la donne de lui-même, mais Moi, dans le cœur

(de l'intérieur) de chacun. C'est Moi qui inspire au prêtre les Paroles de Vie qui pénètrent profondément dans la conscience de chacun de vous. Le prêtre ne sait pas quelles sont les paroles qui vous impressionnent si profondément. Il se peut même qu'il ne comprenne pas Ma Signification dans les paroles qu'il vous dit.

28. — Mais, Moi, au-dedans de lui, Je tire de la dévotion unie à la croyance en Moi, exprimées consciemment ou inconsciemment par tous ceux réunis autour de lui, la Force Spirituelle par laquelle J'atteinds les consciences de ces esprits que J'ai préparés à comprendre Ma Signification. Car, bien que Je dise les mêmes Paroles à tous, ces paroles contiennent cependant un Message distinct et particulier pour chacun, et chacun ne comprend que la partie du message qui lui est destinée, parce que Moi, au-dedans de toi, donne la signification que Je désire qu'elles aient pour toi, comme Je donne également au-dedans de ton frère et de ta sœur, la signification que Je désire qu'elles aient pour chacun d'eux.

29. — Quand deux ou trois personnes se réunissent en Mon Nom, Je Suis toujours là. L'idée qui les fait se réunir, c'est Moi qui l'inspire au-dedans de chacun d'eux, car c'est Mon Idée.

Et, de l'union de leurs aspirations envers Moi, Je crée un conduit, ou un moyen, par lequel Je permets à la conscience de ton Ame d'obtenir quelques lueurs de Moi, selon ce que chacun d'eux est capable de comprendre.

30. — A chaque prêtre, à chaque maître, à chaque médium, Je fais savoir ceci instinctivement, car ils sont Mes ministres choisis. De même, Je fais s'éveiller en eux le désir de s'entourer de spectateurs, ou de disciples, pour éveiller la conscience de Ma Présence dans les cœurs de ceux qui sont prêts. Le prêtre, le médium et le maître, peuvent ne pas M'avoir reconnu en eux-mêmes. Il est possible qu'ils Me croient être une entité ou un être personnalisé dans quelque maître, un dieu ou un sauveur, étranger à eux. Peu importe, puisque, par certaines paroles que Je fais exprimer par ces ministres en même temps que par la Force Spirituelle qui anime les disciples, Je peux éveiller la conscience de l'Ame de ceux que Je guide vers ces ministres, à une compréhension réelle de Moi, l'Un Impersonnel qui réside dans le centre précis de tous, dans le cœur de chacun.

31. — Parce que le Je Suis de Mon ministre

et le Je Suis de chaque disciple sont Un, un en conscience, un en compréhension, un en amour et un en dessein, lequel dessein est l'accomplissement de Ma Volonté.

32. — Ce Je Suis est entièrement Impersonnel. Il ne connaît ni le temps, ni l'espace, ni des entités différentes, mais, utilise simplement les personnalités du ministre et des assistants, ainsi que la circonstance du contact personnel, comme un moyen de donner une voix à Mon Idée, qui toujours lutte au-dedans pour s'exprimer, matériellement.

33. — Ces ministres qui profitent de la confiance de ceux qui Me suivent et s'en servent pour favoriser leurs intérêts personnels, en temps voulu, Je les fais se réveiller à la connaissance de Ma Volonté et de Mon Idée. Toutefois, ce réveil n'est pas agréable à leur personnalité et leur cause, presque toujours, une grande souffrance et une grande humiliation. Mais, leur Ame se réjouit et entonne des louanges de gratitude envers Moi, quand ceci s'effectue.

34. — Donc, ne t'étonnes pas des paroles admirables de vérité qui, quelquefois, viennent d'une bouche qui est, en apparence, incapable de les dire et de les comprendre ; ni du fait que

de simples disciples s'éveillent quelquefois plus vite et dépassent, en développement, leurs maîtres. Moi qui vis au-dedans d'eux, Je choisis les conditions diverses et pourvois les modes différents pour l'expression de Mes Attributs dans chaque Ame. Je place chacun d'eux au moment et au lieu exacts où ils peuvent se compléter les uns les autres et le mieux s'entr'aider, les unissant tous ainsi dans la plus harmonieuse expression de Mon Idée.

## — XV —

## LES MAITRES

1. — Toi qui adhères encore à l'idée exposée dans les divers enseignements selon laquelle Je donnerai un Maître, ou un Précepteur Divin, à chacun aspirant à l'union avec Moi, écoute Mes Paroles :

2. — Il est vrai que Je t'ai permis, dans le passé, d'étudier toutes sortes de livres mystiques, de suivre des enseignements et de pratiquer des cultes, en stimulant ton secret désir d'acquérir les pouvoirs nécessaires pour obtenir l'union vantée dans ces enseignements, jusqu'à éveiller en toi une légère conscience de la possession de tels pouvoirs.

3. — Je t'ai même permis de croire qu'en pratiquant certains exercices, ou en respirant d'une certaine façon, en disant certains « man-

trams », ou affirmations, tu pouvais attirer à toi un maître de l'invisible qui serait ton précepteur et t'aiderait à te préparer pour certaines initiations te permettant d'être admis à un grade avancé de quelque ordre secret dans les sphères intérieures de l'existence où une grande partie de Ma Sagesse Divine te serait révélée.

4. — Non seulement, J'ai permis ceci, mais encore, si tu peux le comprendre, ce fut Moi qui te conduisis à ces livres, qui t'inspirai tel désir et fis que telle croyance se logeât dans ton esprit ; mais non pour les fins que tu t'es imaginées.

5. — Je t'ai fait passer par tous ces enseignements et ces crédos, essayant d'enseigner à ton esprit humain les forces que J'emploie pour l'expression de Mon Idée Divine.

6. — J'ai décrit ces Forces commes des hiérarchies célestes. Pour que ton intellect humain puisse mieux comprendre, Je les ai dépeints comme des Anges, ou des Etres Divins, des agents ou exécuteurs Impersonnels de Ma Volonté, ayant à exprimer Mon Idée qui était au commencement.

7. — Mais tu ne l'as pas compris.

8. — Ton intellect humain, enthousiasmé

par la possibilité de rencontrer et de communiquer avec un de ces Etres, promis par quelques-uns de ces enseignements, chercha immédiatement à les personnaliser et commença à désirer leurs apparitions dans ta vie, imaginant qu'ils s'intéresseraient à tes affaires humaines et que, vivant en accord avec certaines règles prescrites dans ces enseignements, tu te les rendrais propices pour t'aider à atteindre le Nirvana, ou l'Immortalité.

9. — C'est à dessein que Je t'ai permis de t'adonner à de telles illusions, te laissant aspirer, prier et lutter sérieusement, obéissant à toutes les instructions qu'on t'a données, t'encourageant même à suivre, parfois, des êtres idéaux que Je t'ai fait voir en vision ou en rêve, imaginés par toi-même, te permettant de croire que ces êtres étaient les maîtres que tu attendais.

10. — Il se peut que J'aie développé en toi certaines facultés te permettant de sentir la présence de personnalités qui sont passées du côté spirituel de la vie, qui ont été attirées par tes désirs et cherchent à être pour toi des maîtres et des guides.

11. — Mais maintenant le temps est venu ; il faut que tu saches que de tels êtres ne sont

pas des maîtres, que les êtres divins ne sont pas des maîtres, et que Moi seul, ton propre et vrai Moi, Je Suis ton Maître Unique.

12. — Quel qu'il soit, l'être de forme humaine ou spirituelle qui se présente à ta conscience et se dit être un maître, ou quelqu'un que ton esprit considère comme un maître, n'est ni plus ni moins qu'une personnalité, comme toi, et par conséquent non divine, malgré les vérités admirables qu'il prêche et les choses merveilleuses qu'il accomplit.

13. — Or, ceci est un mystère. Tant que tu ne le comprendras pas, il t'est loisible de croire que ce qui vient d'être dit est contraire aux enseignements précédemment décrits ici, ou comme étant contradictoire à mes autres révélations.

14. — Mais, ne crains rien, ce mystère te sera révélé, si vraiment tu désires connaître Ma Signification.

15. — En attendant, pourquoi restes-tu satisfait de ton investigation dans tout ce qui est inférieur au Tout-Parfait ?

16. — Pourquoi chercherais-tu dans le guide ou dans le précepteur spirituel ou humain, dans le maître ou dans l'ange, la manifestation nécessairement limitée de Ma Perfection, quand

tu peux recourir directement à Moi, Dieu en toi-même, l'Omniscient, l'Omnipotent et l'Omniprésent, l'Idée Inspiratrice qui est la cause de toutes les manifestations et est présente dans le cœur de chacune d'elles ?

17. — Et, comme Je Suis en toi, ainsi Suis-Je dans tout ce que tu cherches. Comme toute la Sagesse, tout le Pouvoir et tout l'Amour qu'ils possèdent émanent uniquement de Moi, pourquoi n'accourrais-tu pas à Moi, maintenant, et ne Me laisserais-tu pas te préparer pour que Je puisse exprimer Mon Tout par toi ?

18. — Aussi longtemps que ton esprit humain cherchera ou adorera l'*idée* d'un maître dans un autre être, quelque élevé ou sacré qu'il puisse te sembler, tu resteras dominé par cette idée, jusqu'à ce que Moi, te permette de rencontrer et de communiquer avec un tel maître.

19. — Mais, si ce privilège t'est accordé, ce sera seulement pour hâter ton réveil, par la désillusion qui surviendra quand tu auras vu que ce maître n'est, en vérité, qu'une personnalité plus avancée que toi dans le réveil, mais rien de plus qu'une personnalité, et non l'Un Divin que ton Ame, au plus profond de toi, aspire à connaître.

20. — Car, Je te nourris de toutes ces idées pour t'enseigner la réalité derrière l'apparence. Si Je te conduis à une déception apparente et que tu perdes la foi dans tous les enseignements humains, dans toute la perfection humaine, et même divine, c'est seulement pour que tu sois capable de distinguer plus clairement entre la substance et l'ombre, et pour te préparer à cet Idéal plus élevé que Je vais te décrire.

21. — Tu ne peux t'élever, dans ta personnalité humaine, qu'à l'idéal que ton esprit humain est capable de concevoir. Par le Désir, Je fais que Ma Volonté se manifeste en toi, et par le Désir, J'exécute beaucoup d'œuvres admirables.

22. — Mais, à toi qui t'es élevé au-dessus du Désir, à toi qui ne cherches plus ni maître, ni même Moi, mais qui vis seulement dans la foi de Ma Présence et de Mes Promesses éternelles, à toi, Je réserve une union et une communion qui combleront ton Ame d'un bonheur et d'une allégresse tels qu'il est impossible à ton esprit humain de les concevoir.

23. — Tu es une personnalité humaine, et cependant, Tu es Divin, donc Parfait.

24. — Tu crois la première de ces vérités, non la seconde.

25. — Cependant, les deux sont vraies. Ceci est le mystère.

26. — Tu es précisément ce que tu penses être.

27. — De l'un ou de l'autre, lequel des deux es-tu ? Ou es-tu les deux ?

28. — Tu es Un avec Moi. Je Suis en toi, dans ta personnalité humaine. Je Suis en chaque cellule de ton corps, en chaque attribut de ton esprit, en chaque faculté de ton intellect. Je Suis l'Ame, le principe actif de chacun d'eux.

29. — Et Tu es en Moi, Tu es une cellule de Mon Corps. Tu es un Attribut de Mon Esprit. Tu es une faculté de Mon Intellect. Tu es une partie de Moi, et cependant, Tu es Moi-Même. Nous sommes Un, et toujours nous l'avons été.

30. — Ta personnalité humaine est à Toi, ce que Tu es à Mon Impersonnalité Divine. Elles sont nos créations, des expressions de notre Etre.

31. — Tu es un de Mes Attributs mentaux, un de Mes Pouvoirs Divins, une des Radiations de Ma Volonté qui émanent de Moi, Impersonnellement, pour atteindre Mon But.

32. — Oui, Tu es un Etre Divin, un Ange de Lumière, une partie, ou une phase vivante de Moi,

à laquelle J'ai donné une impulsion, afin d'exprimer, Impersonnellement, Mon Idée.

33. — Est-ce qu'un Ange, un Etre entièrement Impersonnel, un Attribut de Ma Volonté, pourrait s'intéresser aux choses humaines ?

34. — Non, il emploie seulement ta nature humaine et tes affaires humaines comme moyens et conduits par lesquels Ma Volonté peut donner une expression à Mon Idée.

35. — Et cette idée d'un maître que J'ai présentée à l'attention de ton esprit fut seulement pour te préparer et t'amener à cette idée de Moi, ton Moi Impersonnel, un Ange de Lumière, l'Un et véritable Maître au-dedans.

36. — Ton esprit humain, tel qu'il est constitué, croit, en certaines occasions, avoir besoin d'un maître à qui recourir dans ses épreuves humaines, ou dans ses tribulations et ses difficultés ; quelqu'un, à qui demander des explications et des conseils, croyant que les problèmes de la vie peuvent être résolus de cette manière. Et si Je t'en amène un qui te raille, ou qui te trompe et te rejette finalement à Moi, ton propre et intime Moi, alors découragé, désillusionné et humilié, peut-être seras-tu disposé à recourir à Moi, au-dedans de toi, et à écouter *Ma* Voix,

qui toujours t'a parlé, mais que ton esprit égoïste et orgueilleux n'a pas daigné écouter.

37. — Toi, qui n'as pas encore expérimenté cela, qui n'a pas encore rencontré le maître de tes aspirations, sous forme humaine, ou sous forme spirituelle, toi, en qui Mes Paroles n'ont pu éveiller aucun écho d'activité pour répondre à leur vérité, Je te réserve certaines expériences qui te conduiront infailliblement à Moi, plus tard. Alors tu sauras que c'est Moi qui Suis le Maître, l'Idée Inspiratrice de chacune de tes aspirations, tant extérieures qu'intérieures, pour le Maître que tu désires.

38. — Si tu en doutes, tu n'as qu'à recourir à la Clé.

39. — Penser à un maître, c'est en créer un.

40. — Par ta pensée, cette idée d'un Maître devient ce que tu désires qu'il soit, ou ce que tu penses qu'il est.

41. — En d'autres termes : Par ta pensée, tu crées autour de cette idée toutes les qualités que tu imagines qu'un maître doit posséder. Ton esprit humain, par le désir, par l'aspiration, ou par l'adoration, doit nécessairement créer ces qualités dans quelque être imaginaire qui n'est

qu'une personnalité, parce que toi, tu ne peux encore concevoir un être Impersonnel.

42. — De même, selon l'intensité de ton désir et de ta pensée, cette idée doit, tôt ou tard, se manifester réellement, soit en attirant à toi telle personnalité incarnée, ou telle autre qui se manifeste comme une entité des régions des rêves et des visions.

43. — On a enseigné que : « Quand le disciple est prêt, le Maître apparaît ». Ceci est vrai dans un certain sens, mais non comme tu l'as interprété.

44. — Ton secret désir d'un maître te l'amènera, mais seulement lorsque Moi Je t'aurai préparé pour cette apparition.

45. — Cependant, cette apparition ne sera pas autre chose que l'*apparence* d'un maître. Quand le vrai Maître, ou Précepteur, apparaîtra, il se peut que tu ne le reconnaisses pas, car il peut se cacher sous l'aspect d'un ami qui s'intéresse à toi, de ton associé dans tes affaires, de ton voisin le plus proche, ou de ta propre épouse, de ton époux, ou de ton enfant.

46. — Car Je donne Mes enseignements par tous les moyens, selon la nécessité du moment, pour impressionner ta conscience humaine. J'en-

seigne continuellement, même quand tu ne t'en rends pas compte. J'ai beaucoup de voies pour arriver jusqu'à ta conscience et Je les utilise pour t'amener à la compréhension de la Signification de Mon Idée.

47. — Je parle par beaucoup de voix : par la voix de la terreur, de l'amour, de l'envie, de la bonté, de l'ambition, de l'ivrognerie, du plaisir, de la jalousie, de la sensualité, de la souffrance et de la honte ; par la voix de toutes les émotions humaines, des passions et des désirs ; Je parle par la voix de l'expérience, même avec la voix de la connaissance humaine.

48. — Oui, tout ceci est Ma Voix dont Je fais usage, Impersonnellement, pour exprimer cette Vérité que Je Suis en tous comme Je Suis le réel en tous. Ce que cette Voix dit par ses mille moyens d'expression, c'est que toi tu es aussi une partie de ce Tout. Je Suis en toi, espérant que tu Me reconnaîtras et que tu Me donneras ta coopération *consciente* dans l'expression de Mon Idée de Perfection Impersonnelle sur la Terre, telle qu'elle est exprimée au Ciel.

49. — C'est seulement lorsque cette reconnaissance viendra que tu trouveras et connaî-

tras le Véritable Maître. Alors, et alors seulement, tu te rendras compte que Moi, ton propre Moi Impersonnel, Je Suis l'Unique Maître possible pour ta personnalité humaine.

50. — Tu comprendras pourquoi aucun être, humain ou autre, ne pourrait être Impersonnel et maître de n'importe quel autre être ; parce qu'un être Impersonnel ne pourrait jamais être reconnu comme maître d'un être humain, donc il ne pourrait avoir aucun intérêt dans tes affaires humaines.

51. — Si, dans ta vie, un être venait à toi qui te semblerait divin et te montrerait quelque intérêt, sois sûr qu'il n'est pas encore complètement Impersonnel. Il pourrait être un maître humain, mais jamais l'être Divin que toi, de toute ton âme, aspires à servir.

52. — Mais, peut-être serais-tu satisfait d'avoir un tel être pour maître, même s'il n'était pas entièrement Impersonnel. S'il en est ainsi, alors dès maintenant, Je te ferai te rendre compte de ses imperfections, par une comparaison constante avec Ma Perfection Impersonnelle, jusqu'à ce que, finalement, tu recoures et accoures à Moi, t'abandonnant entièrement à Moi,

Me reconnaissant, Moi et Mon Impersonnalité, comme l'Unique Modèle et Idéal, et comme la vraie cause qui a inspiré ta longue recherche de Ma Perfection en dehors de toi, tandis que tu pouvais seulement la trouver cachée au plus profond de ta propre Ame.

## — XVI —

## LE CHRIST ET SON AMOUR

1. — A toi qui crains que Mes Paroles puissent détruire ta croyance en Jésus-Christ et ton amour pour Lui, à toi, Je dis :

2. — Il y a près de deux mille ans, le processus d'expression de Mon Idée avait atteint l'état dans lequel Je pouvais montrer quelque chose de Ma Réalité Divine. Pour atteindre Mon But, et pour rappeler à Mes Attributs humains leur mission sur terre, il était nécessaire que Je M'exprimasse par une personnalité humaine et que Je manifestasse Mes Attributs Divins sous une forme humaine pour que leurs esprits et leurs intellects humains puissent voir, se rappeler, et être inspirés par Moi, intérieurement, et pour laisser Mon Idée s'exprimer de même par

eux et se manifester ainsi dans leur personnalité humaine.

3. — Ceci, Je le fis par la personnalité de Jésus, l'homme de Galilée, présentant à l'entendement humain, au moyen de Mes Enseignements donnés par Lui, et par Ma Vie manifestée par Lui, ce qu'il était nécessaire de faire pour exprimer pleinement Mon Idée Divine.

4. — Je montrai au moyen d'expériences de nature symbolique, en prenant la personnalité humaine, par où toutes les personnalités doivent passer avant que vous, Mes Attributs humains, qui avez créé ces personnalités, puissiez à nouveau devenir assez Impersonnels pour être, avec Moi, des expressions conscientes de Mon Idée Divine.

5. — Vous tous, Mes Attributs humains, avant que le Je Suis intérieur puisse éveiller vos esprits humains à la perception de Moi, de votre intime Moi Divin, vous devez naître d'un Amour Vierge, dans une humble étable, lieu où les bêtes viennent se nourrir (le cœur contrit et humilié, rempli de foi et de confiance en Dieu, condition à laquelle doit arriver la nature humaine, ou animale). Puis, vous devez être conduits en Egypte, la terre de l'obscurité (ou de l'activité

intellectuelle) pour que là, vous luttiez et croissiez, en corps et en connaissance, jusqu'à ce que vous vous fortifiiez avec la sensation de Moi, au-dedans de vous. Alors, quand vous serez suffisamment conscients de Mon Pouvoir et de Mon Amour, Je commencerai à prononcer par vous des paroles de sagesse et de vérité qui confondront les sages du monde, et même les docteurs de la Loi. Ensuite viendra une longue période d'étude et de méditation, qui mûrira l'esprit et développera l'Ame, jusqu'à ce que vous arriviez à la maturité complète de la conscience intérieure du Je Suis qui vous préparera à votre baptême dans le Jourdain, temps où vous serez prêts à vous ouvrir à Moi, à la pleine conscience que vous et Moi, sommes Un, qu'il n'y a pas de séparation entre nous, que Je Suis votre « Moi » réel, et qu'à partir de ce moment vous Me permettiez de diriger vos vies d'une façon absolue.

6. — Alors, Je vous conduis dans le monde, appelé « Désert », dans Mon autre révélation, pour vous y éprouver, vous fortifier et vous accoutumer à l'usage Impersonnel de Mes Attributs Divins. Je vous présente ensuite les trois grandes Tentations : le pouvoir, l'orgueil de la vertu pro-

pre et l'ambition, jusqu'à ce que vous ayez prouvé que rien de l'intellect, rien du moi égoïste, rien de ce qui est matériel, ne peut vous inciter à M'oublier, intérieurement, et que Ma Voix, la Mienne, qu'elle parle en vos cœurs ou dans les cœurs de vos frères, est la seule Voix que maintenant vous soyez capables d'entendre.

7. — Après cette épreuve, commencera la période des miracles et l'enseignement des multitudes, accompagnée des outrages et de la persécution des incrédules et des railleurs, suivie par le jugement devant Pilate, représentant la loi du monde, la sentence, la montée au Calvaire en portant la Croix, l'être cloué sur la Croix, l'agonie, les trois jours dans la tombe, et la résurrection finale, qui aura lieu quand vous entrerez complètement en union avec Moi.

8. — Tout ceci a sa signification occulte et son application dans ce qui appartient à l'Ame, et devra être aisément compris par toi, si tu M'as ouvert ton cœur.

9. — Tel a été dans le passé le chemin pour toi et pour tous ceux qui ont étudié et obéi à Mes Enseignements donnés dans Mes Révélations antérieures. Mais maintenant, le temps est venu pour lequel Je t'ai préparé, toi et beaucoup d'au-

tres, à une Nouvelle Dispensation, par laquelle tu peux entrer dans la conscience du Moi, directement, et dès maintenant, par la Voie Impersonnelle. Ceux qui sont assez grands et assez forts pour rejeter toutes les insinuations de la personnalité humaine et qui peuvent dire : « Je Suis » et connaître que Je Suis l'Un au-dedans qui leur donne cette force et les met en état de s'élever au-dessus des attractions et des influences du monde matériel, ceux-là sont ceux que J'ai choisis pour exprimer par eux toute la gloire merveilleuse de Mon Idée Divine.

10. — Le Christ, ou la conscience du Je Suis doit naître dans ton cœur et dans celui de chaque personnalité humaine. Elle doit se développer, lutter et passer en quelque sorte par toutes les expériences symbolisées dans la Vie de Jésus, avant que tu puisses arriver à ce point et devenir, avec Moi, une expression consciente de Mon Idée Divine. L'exemple de l'Amour et de la Compassion du Christ que J'exprimai dans Sa Vie, tu dois l'exprimer aussi jusqu'à un certain degré dans ta vie, avant qu'il te soit possible de goûter les fruits de cet Amour qui, en vérité, n'est pas seulement l'Amour, mais le Saint Trois-en-Un : Amour-Sagesse-Pouvoir, vé-

ritable Expression de Ma Vie Impersonnelle.

11. — Jusqu'ici tu n'as pas réalisé la Signification de la Vie Impersonnelle et pour cela, tu n'as pu comprendre la signification de l'Amour Impersonnel. L'amour, si tu analyses soigneusement ce sentiment, n'a été pour toi qu'une émotion, ou une passion humaine, et pour cette raison tu as été incapable de concevoir un amour détaché ou dépourvu de quelque intérêt humain ou personnel. Mais, maintenant, pour autant que tu commences à Me sentir au-dedans de ton cœur et l'ouvres largement pour Me contenir, Je te comblerai d'une sensation nouvelle, merveilleuse et étrange, qui éveillera et vivifiera chaque fibre de ton être de l'instinct créateur, et cette sensation sera un véritable Elixir de Vie pour toi. Car c'est dans l'expression matérielle de ce sentiment, quand de cette manière, Je me répandrai dans le monde par toi, que tu goûteras la douceur inexprimable de Mon Saint Amour Impersonnel, avec l'illumination de l'esprit et la Conscience du pouvoir illimité qui l'accompagnent. Je te ferai devenir ainsi un conduit entièrement libéré du moi égoïste, donc parfait, pour l'expression Impersonnelle de Mon Idée Divine.

12. — Et tu te rendras compte que tu es

une partie de Moi et une partie de tout autre être ; que tout ce que tu as ou es n'est pas tien, mais Mien, pour Mon Usage, quel qu'en soit le lieu ou la manière dont Je l'ordonnerai.

13. — Ta vie ne sera plus centrée en toi-même, mais ton moi s'évanouira en se fondant dans tes autres Moi. Alors, tu donneras libéralement de ta vie, de ton entendement, de ta force et de ta substance, qui ne sont que des phases de Ma Vie ou de Mon Amour Impersonnel, que Je t'ai donnés seulement pour cet usage.

14. — Dans la personnalité de Jésus, le Christ, J'ai manifesté beaucoup d'Amour Impersonnel, assez pour t'inspirer, te donner le désir d'imiter Sa Vie et Sa Personnalité. Au moyen de cette inspiration et de cette lutte, tu éveilleras la Conscience du Christ en toi. Par cet éveil et par la compréhension que le Christ est le chemin, ou la porte qui ouvre et conduit à Moi, Je t'amènerai finalement au point où tu pourras entrer dans Ma Vie Impersonnelle et en devenir, consciemment, une « partie ».

15. — Mais Je te dis ici, clairement, que Mon Amour Impersonnel n'a rien à voir avec les vies et les amours personnelles. Celles-ci ne

sont que les moyens extérieurs que J'emploie afin de répandre par elles Mon Amour véritable, au cœur de l'humanité, dans le monde où il exprime constamment Son Pouvoir vitalisateur et créateur qui élève et embrasse tout.

16. — Mon Amour ne prend en considération ni les personnalités, ni les individus, ceux-ci ne sont que des pièces d'échec que Je meus sur l'échiquier de la vie, comme Je le juge préférable pour atteindre Mes Desseins : l'expression finale et complète de Mon Idée Divine dans l'Humanité.

17. — C'est seulement dans l'Humanité que Je peux exprimer Mon Idée, comme toi tu peux exprimer ton idée de toi-même seulement par ta personnalité humaine.

18. — Dans l'Humanité, Je vis, Je Me Meus, et J'ai Mon Etre. Elle est la personnalité et le corps mortel de Mon Moi Immortel, comme ta personnalité et ton corps te servent pour exprimer ton être.

19. — Toutes les personnalités humaines avec leurs corps ne sont que les cellules de Mon Corps d'Humanité. Comme ton Je Suis a maintenant commencé à adapter ton corps pour que tu puisses exprimer parfaitement par lui Mon

Idée de toi, c'est-à-dire ton intime et vrai Moi, ainsi Suis-Je en voie d'adapter l'Humanité, graduellement, pour qu'elle puisse exprimer parfaitement Mon Idée de Moi-Même.

20. — Dans la proportion où les cellules individuelles deviennent parties Impersonnelles et harmonieuses des organes qu'elles forment, par le fait de participer à Ma Vie, elles peuvent vivre une vie saine et heureuse. Mais, qu'une seule cellule s'oppose ou agisse contrairement à la loi générale de son organisme, le fonctionnement harmonieux de cet organe deviendra impossible, ce qui naturelllement affectera le corps entier et il en résultera la maladie, ou le malaise.

21. — Chaque cellule d'un organe est une partie intégrante de cet organe même et son travail est nécessaire pour son fonctionnement parfait et pour la santé parfaite de Mon Corps. Mais, à moins que chaque cellule ne cède tout son pouvoir et toute son intelligence, qui ne sont que les attributs de la Vie que Je leur ai donnés pour le fonctionnement parfait de Mon Corps entier, le seul résultat pour Mon Corps sera l'inharmonie, avec tous les effets qui s'ensuivent, tels que : maladie, souffrance, esclavage, pauvreté, incompréhension, désintégration et mort.

22. — De même, à moins que chaque organe ne cède toute l'intelligence et tous les pouvoirs dont Je l'ai doué, dans le but unique d'exprimer et de conserver la Vie de Mon Corps en santé parfaite, l'unique résultat ne peut être que la désorganisation, la destruction, la révolte, et finalement la guerre, guerre entre les divers organes et leurs cellules respectives, et, par conséquent, une condition ou un état plus ou moins chaotique dans Mon Corps entier.

23. — Dans Mon Corps d'Humanité, ceci signifierait la guerre entre les nations, lesquelles sont les organes de Mon Corps. Comme toute guerre n'est qu'un état de maladie aiguë, ou d'inharmonie, et comme Ma Vie dans l'Humanité ne se manifeste que comme Amour Impersonnel, Elle ne peut s'exprimer que par l'harmonie, comme dans le corps physique cet amour est toujours en voie d'utiliser, d'équilibrer et de préparer les conditions pour s'exprimer ainsi.

24. — Ceci se fait, soit en éliminant graduellement des divers organes du corps, toutes les cellules malades, affaiblies ou hors d'état de servir, soit en développant dans le corps physique, la maladie sous une forme maligne, telle que fièvre, hydropisie, furonculose, empoison-

nement du sang, et dégénérescence, pour rejeter ensuite ces cellules, rapidement, par billions, jusqu'à ce que l'organe soit purifié, ou que son pouvoir de fonctionnement soit entièrement détruit.

25. — En d'autres termes, la vie et le travail réels de chaque cellule et de chaque organe consistent à céder sa vie individuelle, afin que Mon Corps entier puisse être ou s'exprimer en harmonie parfaite. Quand chaque cellule et chaque organe agissent ainsi et constituent un conduit non égoïste par lequel Ma Vie Impersonnelle peut jaillir, Mon Corps devient alors un tout parfait et harmonieux. Mon Idée peut ainsi exprimer Ses Pouvoirs Divins et Ses Possibilités, comme elle le fait dans la Région Céleste de l'Eternel.

26. — Quand tu Me confieras ton être tout entier pour que Je puisse répandre, par toi, Mon Saint Amour Impersonnel ; quand tu n'auras plus d'autre pensée que celle de l'expression parfaite de cet Amour qui est Ma Vie réelle, Je serai, alors, en état de vivifier et d'éveiller, graduellement par toi, ceux qui t'entourent à la reconnaissance de Moi, le Christ au-dedans d'eux-mêmes, afin qu'ils Me donnent, comme toi, leur

moi tout entier, jusqu'à ce que, finalement, l'organe ou la partie de Mon Corps d'Humanité que toi et eux représentent, acquiert une santé et une harmonie parfaites, et coopère, pour atteindre et conserver la santé parfaite en Mon Corps entier.

27. — Quand ce temps viendra, Ma Force Divine de Vie et Mon Amour Impersonnel, se répandront et se manifesteront à toute l'Humanité, et Mon Idée s'exprimera clairement et pleinement sur la Terre comme au Ciel. La Terre et tous les corps terrestres ne seront plus faits de la matière physique grossière dont ils paraissaient être faits auparavant, mais ils seront purifiés et libérés du moi égoïste. Ils auront été élevés, à nouveau, au lieu d'où ils descendirent, car le but de leur création, celui de créer des organismes aptes à la manifestation matérielle et à l'expression humaine de Mon Idée, aura été atteint. N'ayant plus besoin de moyens d'expression terrestres ou matériels, Je créerai et M'exprimerai, désormais, seulement avec l'Esprit, l'unique moyen nécessaire dans le Monde Céleste de la Vie Impersonnelle.

## — XVII —

## EN ME TROUVANT

1. — Toi qui as étudié, attentivement, tout ce qui s'est dit ici et qui crois avoir perçu une lumière de Moi, mais qui n'en es pas encore sûr, approche-toi et écoute de toute ton âme ce que maintenant J'ai à te dire :

2. — Apaise-toi ! et Sache : Je Suis, DIEU !

3. — Si tu as appris à t'apaiser, si tu as étudié et médité sur ce MOI comme étant Dieu au-dedans de toi-même, si tu es capable de le distinguer du moi personnel, et si tu es quelquefois conscient que tu peux sortir, pour ainsi dire, de ta personnalité et voir ton être humain tel qu'il est, avec tous ses défauts, ses faiblesses, son vil égoïsme, ses appétits, ses passions animales, ses désirs enfantins, son sot orgueil et ses vanités ;

4. — Si tu peux faire tout cela, et si tu as vu ces choses avec une vision claire, sache que dans ces moments-là, tu as été UN avec Moi, en conscience, et que c'était ton Intime et Vrai Moi en toi, qui a vu avec des yeux Impersonnels la Réalité des choses.

5. — Dans ces moments-là, tu t'es libéré de ta personnalité et tu as vécu dans Ma Conscience ; appelle-la : Cosmique, Universelle, Spirituelle ou Impersonnelle, comme tu voudras, car tu n'aurais pu voir ces choses en toi-même, sinon avec des yeux Impersonnels, Mes Yeux.

6. — De plus, si tu revois ton passé, tu te rappelleras que souvent tu as senti une force qui te poussait à faire certaines choses. Quelques-unes, quand tu les fis par obéissance, te donnèrent des résultats notables, mais, quand tu arguais contre d'autres, en raisonnant avec ton intellect, pour exécuter une action différente de celle indiquée par Moi, tu n'as trouvé que l'échec, le désappointement et la souffrance comme résultat.

7. — Cette conscience, cette force impulsive, n'étaient autres que ton Intime et Vrai Moi, Moi en toi-même, qui dans ces moments-là te guidais, te disais clairement ce que tu devais faire.

Tu entendais alors avec tes oreilles Spirituelles, Mes Oreilles, et quand, Impersonnellement, tu les écoutais, tu avais le succès et la satisfaction en partage. Mais, quand tu croyais, personnellement, savoir mieux que Moi ce que tu devais faire, il n'en est résulté que des défaites, des peines et des malheurs.

8. — Et encore, il y eut des moments où tu as senti l'approche d'événements ou de personnes invisibles, ou de vibrations inharmonieuses, quand tu entrais en contact avec d'autres personnes.

9. — C'est le Vrai Toi qui as senti avec ta Conscience Spirituelle ou Impersonnelle, laquelle (si seulement tu le savais), est toujours en éveil pour te protéger, t'avertir et te conseiller dans tout ce qui se rapporte à ces choses, à ces conditions ou à ces événements matériels.

10. — Mais, tu Me connaîtras mieux et plus sûrement, quand l'Amour altruiste remplira ton cœur et que tu éprouveras une forte impulsion d'aider quelqu'un, de guérir les maux de ceux qui t'entourent, de soulager leurs souffrances, de leur donner le bonheur, de leur montrer le vrai chemin. En écartant de cette manière la personnalité, Je fais ainsi usage de ton esprit et

de ton corps, en vue du but pour lesquels Je les ai créés, c'est-à-dire, comme moyens d'exprimer Ma Nature Réelle, qui est l'Amour Parfait, le Christ ou la Conscience de Dieu, le Pouvoir vivifiant, le dispensateur de la Vie et du mouvement, celui qui vivifie et guérit, qui pourvoit à tout et coordonne tout dans l'Univers.

11. — Tout ceci t'est signalé pour que tu puisses comprendre que Je Suis en toi, en ton Corps Spirituel, le Corps Parfait, au-dedans duquel Je vis, Celui qui toujours te parle dans toutes les affaires de ta vie, oui, dans les moindres détails.

12. — Si tu voulais accourir à Moi, si tu voulais observer et étudier attentivement les impressions que tu reçois à chaque instant, et apprendre à les suivre et espérer en Moi, en vérité, Je guiderais tous tes pas, Je résoudrais tous tes problèmes ; ta tâche serait rendue facile et tu serais conduit vers les frais pâturages, au bord des eaux paisibles de la vie.

13. — Ah ! Mon Enfant, si tu employais en efforts sérieux, déterminés et dirigés au-dedans de toi, la dixième partie seulement du temps et de l'énergie que tu as gaspillés à chercher parmi

les coques vides de la connaissance et des enseignements humains ;

14. — Si tu me dédiais seulement une heure, chaque jour, à Moi seul, imaginant et pratiquant Ma Présence en toi ;

15. — Je te promets que non seulement tu Me trouverais tôt, très tôt, mais encore que ce serait pour toi une Source inépuisable de Sagesse, de Force et de Secours, telle que ton esprit humain est maintenant incapable de la concevoir.

16. — Oui, si Tu me cherchais ainsi, Me donnant la PREMIERE place dans ta vie, ne te reposant jamais, jusqu'à ce que tu M'aies trouvé, tu ne tarderais pas à être conscient de Ma Présence, de Ma Voix aimante, qui parle constamment du plus profond de ton cœur.

17. — Tu apprendrais ainsi à entrer en une douce Communion avec Moi, et graduellement tu trouverais que tu vis dans Ma Conscience, que Ma Parole vit en toi, et tout ce que tu désires se réaliserait d'une manière miraculeuse.

18. — Cependant, il te sera difficile de vivre continuellement en Moi, au commencement, parce que le monde, la chair et le démon sont encore présents à ta conscience, Mais, tu t'accoutume-

ras, peu à peu, à user de Mes Yeux Impersonnels, et tu seras bientôt capable de voir la réalité des choses, même la réalité de ceux qui paraissent être les puissants de la Terre. Alors, tu reconnaîtras que tu vis dans un monde nouveau, admirable, peuplé d'êtres angéliques qui se servent des corps de chair de leur personnalité humaine uniquement comme véhicule, comme instruments ou vêtements (enveloppe), pour se mettre en contact avec les conditions et les expériences qu'ils ont créées, afin de pouvoir développer les qualités d'âme nécessaires à l'expression parfaite de Mon Idée sur la Terre.

19. — Alors, il n'y aura plus d'ombres pour tes yeux, il n'y aura plus de mal, et par conséquent, il n'y aura pas de démon, parce que tout est Lumière et Amour, Liberté, Bonheur et Paix. Tu Me verras en tout. En chaque être, tu verras quelque Attribut de Moi, en chaque chose animée, quelque phase de Moi. Tu n'auras qu'à laisser Mon Amour rayonner de ton cœur et Il te montrera la Signification Réelle de tout ce que tu vois.

20. — Alors viendra la Grande Révélation ; celle d'avoir trouvé le Royaume des Cieux. Tu verras que tu marches au milieu de ce Royaume,

qu'il est ici, sur la Terre même, qu'il se manifeste tout autour de toi, que toujours tu y as vécu, mais tu ne l'as pas su.

21. — Au lieu de se trouver en dehors en quelque lieu éloigné, ce Royaume est au-dedans de toi ; au-dedans de tout être. Il est au plus secret, au plus intime de toutes les choses manifestées.

22. — En d'autres termes, tu trouveras que c'est la REALITE de TOUTES choses, et que tout ce qui est extérieur n'est que l'ombre de cette Réalité, ombre créée par les faux concepts de l'homme dans sa croyance d'être séparé de Moi.

23. — Quand tu auras trouvé ce Royaume, tu y trouveras, également, ta propre place. Tu comprendras alors, que tu es, en vérité, un de Mes Attributs Divins ; que tout ton travail t'avait été assigné dès le commencement, et que tout ce qui, jusqu'ici, a eu lieu, n'a été qu'une préparation et une adaptation de ta personnalité humaine à ce travail.

24. — Et, toute ton âme tressaillira d'allégresse, parce qu'après tant d'années d'incertitude, tu es enfin revenu à Mon Foyer. Tu peux maintenant entrer dans Ma Vie Réelle, Un en

conscience avec Moi et avec les autres Moi, travaillant tous à atteindre l'expression finale et parfaite de Mon Idée Divine sur la Terre.

25. — Toi, en qui la lecture de ceci a évoqué des souvenirs de joies passées et dont l'Ame a répondu avec émotion, ne laisse pas ces Paroles sans avoir obtenu d'elles tout ce que J'ai à te dire. Apaise-toi ! Ecoute Ma Voix intérieure et connais les gloires qui t'attendent, si tu es capable de voir avec des yeux Impersonnels et d'entendre avec un entendement Impersonnel.

26. — Mais, si cette lecture te donne une première vision de Ma Réalité en toi, éveillant par cette réalisation partielle de Moi et de Mon Royaume des vibrations élevées qui te font tomber dans une extase spirituelle temporaire, et que tu te résolves à essayer de vivre constamment en Ma Conscience et à M'obéir toujours, ne te décourages pas si tu tombes ignominieusement, quand se présentera une occasion immédiate de prouver la sincérité de ta force et de ta résolution.

27. — Car c'est seulement par tes efforts et par tes chutes, en te forçant à te rendre compte douloureusement de ton manque de force et d'aptitude à t'abandonner et à te confier à Moi, que

Je peux éveiller en toi, la conscience de Mes Pouvoirs Divins qui espèrent toujours se manifester par toi.

28. — Ces vibrations élevées ne sont que le réveil de certaines qualités d'âme qui se mettent en action, ainsi que leurs facultés correspondantes, et qui doivent s'éveiller avant que Je puisse manifester ces pouvoirs.

29. — Naturellement, quand ces qualités d'âme s'éveillent, elles mettent en active opposition certaines autres forces qui, jusqu'à présent, eurent un empire incontesté sur ta nature. Mais elles doivent être vaincues et dûment utilisées avant que ces qualités d'âme puissent s'exprimer librement.

30. — Cette opposition existe uniquement pour fortifier, éprouver et perfectionner l'expression de ces qualités d'âme qui doivent être capables de résister à toutes attaques venant du dehors, avant qu'elles puissent manifester, pleinement, tous Mes Pouvoirs Divins qui donnent l'impulsion du dedans.

31. — Sache que Je manifeste en toi ces pouvoirs, aussi vite que tu peux les supporter et être fort.

32. — L'erreur que tu commets consiste à essayer de te développer par toi-même.

33. — Je Suis l'Arbre de Vie, au dedans de toi, Ma Vie donnera l'impulsion pour sa manifestation, mais par un développement graduel et incessant. Tu ne peux arriver à un résultat avant d'être développé pour l'atteindre. Mais, rappelles-toi que Ma Vie est constamment en voie de développer en toi la perfection de beauté, de force et de santé qui doit s'exprimer corporellement, comme elle s'exprime maintenant audedans de toi.

34. — Toi, qui as commencé à te rendre compte que Je Suis au-dedans de toi, mais qui n'as pas encore appris à communiquer avec Moi, écoute et apprends-le maintenant.

35. — Tu as appris à t'apaiser et, peut-être, as-tu senti Ma Présence au-dedans de toi. S'il en est ainsi, sachant que Je Suis là, pose-Moi une question. Ensuite, après M'avoir adressé une prière silencieuse, en Me demandant la réponse, attends les impressions qui te viendront. Que ce soit sans anxiété, sans préoccupation ou intérêt personnel, et avec l'esprit totalement vide.

36. — Si, en réponse, il te venait une pensée que tu reconnaisses comme l'ayant déjà enten-

due ou lue, quelque part, écarte-là, immédiatement et dis : « Non, Père ; Toi, que dis-Tu ? »

37. — Il peut, en effet, te venir d'autres pensées d'origine humaine, mais tu les reconnaîtras comme telles et tu refuseras de les accepter. Si tu persistes à t'adresser à Moi, tu recevras, finalement, une réponse que tu sentiras être réellement de Moi.

38. — Il en sera ainsi, au commencement. Mais, quand tu auras appris à distinguer Ma Voix de toutes les autres voix et que tu parviendras à étouffer entièrement ton intérêt personnel, alors tu pourras communier, silencieusement, avec Moi, à volonté, sans l'intervention des idées, des croyances et des opinions des autres. Tu pourras Me faire n'importe quelle demande, ou les autres pourront te poser n'importe quelle question, te demander ton aide sur quelque problème qu'ils auraient à résoudre, au moment même, Je mettrai dans ton esprit les paroles que tu dois dire, silencieusement, ou à haute voix.

39. — Toi, Mon Bien-aimé, qui t'es consacré à Moi et qui fais toutes sortes d'efforts pour entrer en Union avec Moi ; toi, qui as pu constater que tout appui, toute protection du mon-

de t'ont été retirées, toi qui te trouves sans argent, sans amis, ne sachant à qui recourir pour demander un secours humain ;

40. — Sache, Mon cher Enfant que tu es tout près de Moi, maintenant, et que si seulement tu continues à vivre en Moi, laissant Ma Parole demeurer en toi et te diriger, te reposant sur Mes Promesses avec une confiance absolue en elles, Je t'accorderai bientôt une Joie, une Perception et une Paix telles, que la Parole et l'esprit humain seraient incapables de t'en donner une idée.

41. — Parce que tu as obéi à Mes Commandements, parce que tu t'es confié à Moi et que tu as cherché, premièrement, Mon Royaume et Ma Justice, Je te donnerai tout le reste par surcroît, même ce que le monde ne t'a pas donné ;

42. — Mais toi, Mon enfant Bien-aimé qui t'es également consacré à Moi, mais qui es encore attaché à quelques-uns des jugements ou coutumes du monde et impuissant à t'en défaire et à te confier entièrement à Moi ;

43. — Toi, à qui J'ai apporté l'insuccès, l'incertitude, et même la pauvreté, afin de t'apprendre la valeur réelle des choses de ce monde, leur

instabilité, leur impuissance à donner le bonheur, leur peu de rapport avec Ma Vie Réelle ;

44. — Toi, Mon Enfant qui ne peux encore comprendre ceci et dont le cœur se remplit d'inquiétudes et de craintes, parce que tu ne vois pas d'où viendra le pain de demain, où tu trouveras l'argent pour le loyer de la semaine prochaine, ou bien, comment tu t'acquitteras d'une dette échue ;

45. — Ecoute, une fois encore, Mes Paroles prononcées il y a longtemps, dans le Sermon sur la Montagne :

46. — « C'est pourquoi Je vous dis, ne soyez point inquiets pour votre vie, ni où vous trouverez de quoi manger ou à boire ; ni pour votre corps, ni où vous trouverez de quoi vous vêtir.

47. — « La vie n'est-elle pas plus que la nourriture et le corps, plus que le vêtement ?

48. — « Considérez les oiseaux de l'air : Ils ne sèment ni ne moissonnent, ils n'ont ni cellier, ni grenier, cependant le Père Céleste les nourrit. Combien ne valez-vous pas plus qu'eux ?

49. — « Qui d'entre vous, en s'inquiétant ainsi, peut ajouter à sa taille la hauteur d'une coudée ?

50. — « Et pourquoi vous inquiétez-vous pour votre vêtement ?

51. — « Considérez les lys des champs, comme ils croissent ; ils ne travaillent, ni ne filent ; cependant, Je vous déclare que Salomon, dans toute sa gloire, n'a jamais été vêtu comme l'un d'eux.

52. — « Or, si Dieu a soin de vêtir ainsi une herbe qui est aujourd'hui dans les champs et que l'on jettera demain dans le four, combien aura-t-Il plus soin de vous vêtir, hommes de peu de foi ?

53. — « Donc, ne vous demandez pas : Que mangerons-nous, que boirons-nous, ou avec quoi nous vêtirons-nous ?

54. — « Les Nations du monde recherchent toutes ces choses. Mais votre Père Céleste sait que vous en avez besoin.

55. — Cherchez, premièrement, le Royaume de Dieu et Sa Justice et le reste vous sera donné par surcroît.

56. — « Donc, ne vous inquiétez point du lendemain, car le lendemain prendra soin de ces choses par lui-même.

57. — « A chaque jour suffit sa peine ».

58. — Te faut-il encore d'autres commandements ou des promesses plus définies que celles-ci, toi qui t'es consacré à Moi et te prétends Mon Disciple ?

59. — Ecoute ! Ne t'ai-Je pas toujours pourvu de tout le nécessaire ? Y eut-il un temps où tu t'es trouvé dans le besoin, que Je ne t'aie porté secours au moment même ? Y eut-il jamais un temps, quand tout paraissait sombre, que Je ne t'aie apporté la Lumière ?

60. — Veux-tu, avec ce que tu sais maintenant, faire un retour sur ta vie passée et dire que tu l'aurais mieux ordonnée ? Echangerais-tu ton entendement spirituel pour les biens matériels de qui que ce soit que tu connaisses ? N'ai-Je pas fait tout ceci, malgré que tu te sois révolté, en refusant toute ta vie à M'écouter ?

61. — Ah ! Mes Enfants ! Ne pouvez-vous donc pas comprendre que la richesse, le foyer, les vêtements, la nourriture et l'acquisition de tout ceci ne sont que des incidents et n'ont rien de commun avec votre vie réelle, mais que vous les faites réels, en les pensant tels, en leur accordant tant d'importance, tandis que vous Me laissez à l'écart.

62. — Et s'il Me faut t'ôter les choses du monde pour que tu puisses apprendre la Vérité, c'est-à-dire, que Je Suis la chose Unique et Importante dans la vie, que Je dois être le Premier, si en vérité tu M'aimes ; Je le fais pour que le bonheur et la prospérité réels et durables soient tiens, comme le fait le véritable médecin, qui, pour que le malade recouvre la santé, extirpe d'abord la cause de la maladie.

63. — Et ceci se réfère aussi à toi, Mon Enfant, qui as perdu la santé, le courage, et toute maîtrise de toi-même, et qui, après de pénibles années de recherches matérielles, chez les médecins et dans les remèdes terrestres, dans l'espoir de recouvrer la vitalité que tu as perdue. en observant fidèlement toutes les instructions et conseils que l'on t'a donnés, tu es enfin accouru à Moi, intérieurement, avec le faible espoir que, peut-être, Je pourrais t'aider.

64. — Sache, Mon petit enfant, que toi aussi, tu dois venir entièrement soumis à Moi, l'Unique Médecin qui peut te guérir ; parce que Je Suis la Vie toute Puissante en toi, Je Suis ta Santé, ta Force, ta Vitalité et tant que tu ne pourras *sentir* Ma Présence au-dedans de toi et

savoir que Je Suis tout cela pour toi, tu n'auras pas de santé réelle et durable.

65. — Et maintenant, Mes Enfants, approchez-vous davantage de Moi, parce que Je vais vous dire le moyen d'obtenir toutes ces choses : Santé, Bonheur, Prospérité, Union et Paix.

66. — Dans les paroles qui suivent est caché le Grand Secret :

67. — Bienheureux celui qui le trouve !

68. — Apaise-toi ! ET SACHE — JE SUIS, DIEU.

69. — SACHE que Je SUIS en toi. SACHE que JE SUIS TA VIE. Sache que toute Sagesse, tout Amour et tout Pouvoir, sont dans cette Vie qui se manifeste dans tout ton être, MAINTENANT.

70. — Je Suis la Vie, l'Intelligence, le Pouvoir en toute substance, dans les cellules de ton corps, dans les cellules de toute matière, qu'elle soit minérale, végétale, ou animale, dans le feu, dans l'eau et dans l'air ; dans le Soleil, dans la Lune et dans les autres astres. Je Suis Celui Qui EST, en toi et en eux. Leur conscience est Une avec ta conscience et TOUT est Ma Conscience. Par Ma Conscience en eux, tout ce qu'ils ont ou sont, est tien, tu n'as qu'à le demander.

71. — Parle-leur, EN MON NOM.

72. — Parle-leur avec la Conscience de ton Unité avec Moi.

73. — Parle-leur avec la Conscience de Mon Pouvoir en toi et de Mon Intelligence en eux.

74. — Parle, ORDONNE ce que TU VEUX avec cette Conscience, et l'Univers s'empressera de t'obéir.

75. — LEVE-TOI ! O toi, qui aspires à l'Union avec Moi ! Accepte, maintenant, ton Héritage Divin. Ouvre largement ton Ame, ton esprit, ton corps et respire Mon Souffle de Vie.

76. — SACHE que c'est Moi qui te remplit jusqu'à déborder de Mon POUVOIR Divin, et que chaque fibre. chaque nerf, chaque cellule, chaque atome de ton être est maintenant vivant consciemment avec Moi, vivant avec Ma Santé, avec Ma Force, avec Mon Intelligence, avec Mon Etre !

77. — Parce que Je Suis en toi, parce que nous ne sommes pas séparés ; nous ne pourrions l'être. Je Suis ton Intime et Vrai Moi, ta Vraie Vie, et Je Me manifeste MOI-MEME et TOUS MES POUVOIRS, en toi, MAINTENANT.

78. — REVEILLE-TOI ! Lève-toi et affirme ta Souveraineté ! CONNAIS-TOI toi-même, con-

nais tes Pouvoirs ! Sache que tout ce que J'ai, est tien, que Ma VIE Toute-Puissante coule en toi et que tu peux prendre d'Elle et faire d'Elle ce que tu désires, qu'Elle te donnera santé, pouvoir, prospérité, union, bonheur et paix ; quelle que soit la chose que tu commandes.

79. — Imagine ceci, PENSE-le ; SACHE-le !

80. — Et ensuite, avec toute la certitude de ta nature, prononce la Parole Créatrice ! Et tu ne la prononceras pas en vain.

81. — Mais sache, Mon Enfant Bien-Aimé. que ceci ne pourra être que lorsque tu viendras à Moi dans une entière et complète soumission. Lorsque tu te seras donné à Moi et que tu M'auras remis ta substance, tes affaires et ta vie, les plaçant sous Ma Garde, en M'en laissant la vigilance et la responsabilité, te reposant et te confiant entièrement à Moi.

82. — Quand tu auras fait ceci, alors, les Paroles que Je t'ai apportées mettront en activité Mes Pouvoirs Divins qui sont latents en ton Ame, et tu seras conscient qu'il existe en toi, une FORCE puissante qui, selon le degré que tu vis en Moi et laisses Mes Paroles vivre en toi, te libérera complètement de ton monde de songes. Elle te vivifiera en esprit, enlèvera les obsta-

cles de ton chemin, te pourvoira de toutes les choses que tu désires et éloignera de toi la douleur et la souffrance. Alors, il n'y aura plus de doutes, plus de questions, parce que tu SAURAS que MOI, DIEU, ton Vrai Moi, te pourvoirai toujours. Je t'indiquerai ce que tu dois faire, parce que tu auras trouvé que toi et Moi SOMMES UN.

## — XVIII —

## UNION

1. — Toi qui as vraiment le désir de te donner ainsi à Moi et qui es disposé à Me consacrer ta vie entière, en te défaisant de toutes tes idées, de tes espoirs et de tes aspirations personnels, afin que Je puisse exprimer librement et pleinement Mon Idée Impersonnelle par toi, écoute attentivement Mes Paroles.

2. — Je t'ai conduit à travers toutes tes expériences de la vie, précisément, jusqu'à ce point. Si, maintenant, tu es réellement prêt et disposé à Me servir, si tu as appris que toi, de toi-même, tu ne peux rien connaître ou faire et que c'est seulement Moi qui Suis, comme sont Miennes ce que tu appelles ton intelligence, ta force, et ta substance ; que Je Suis Celui qui dirige toutes tes pensées, Celui qui te mets

en état de faire tout ce que tu fais, alors tu pourras comprendre la Signification de Mes Parolés et tu seras tout à fait préparé à leur obéir.

3. — Dans le passé, Je t'ai procuré les expériences qui devaient, justement, t'enseigner ces choses. Mais, maintenant, si tu es prêt et digne, tu travailleras *consciemment* avec Moi. Tu attendras joyeusement, (quoique) avec calme, chaque nouvelle expérience, sachant bien que chacune d'elles contient de merveilleuses expressions de Ma Signification, que Je te rendrai claires et qui t'amèneront, chaque fois, à une union plus harmonieuse et plus intime avec Moi.

4. — Toutes les expériences à venir seront ainsi des bénédictions, au lieu d'être des épreuves, ou des effets « karmiques » d'actes passés. En chacune d'elles Je te révèlerai des visions glorieuses de Ma Réalité, de ton propre, de ton vrai et merveilleux Moi Intime, jusqu'à ce que tu ne te sentes plus disposé à suivre aucun de tes anciens désirs, mais que tu ne cherches à connaître que Mes Désirs et à Me plaire.

5. — Ceci se manifestera de bien des manières. Dans tes activités, quelles qu'elles soient, tu ne te préoccuperas pas du genre de travail,

mais tu feras ce qui se présentera à toi, sachant bien que c'est ce que Je te demande. Tu chercheras seulement à Me plaire par ta part Impersonnelle dans la tâche en question, ce qui Me mettra à même d'atteindre et d'accomplir rapidement Ma Volonté.

6. — Même, en tes affaires, tu trouveras que Je Suis là. De fait, c'est Moi qui te guide dans ces affaires, quelles qu'elles soient ; non pour que, par elles, tu sois le riche ou le pauvre ou le vulgaire trafiquant que tu es, ni pour que tu amasses des richesses ou que tu perdes celles que tu as accumulées, ou pour que tu n'en accumules aucune ; non, afin que par le succès ou l'échec, le manque d'ambition ou d'habileté, Je puisse éveiller ton cœur à la perception de Moi, l'Un Impersonnel, qui réside au-dedans de toi, où Il inspire et dirige tout ce que tu fais, attendant ainsi que tu participes, consciemment, au véritable succès et que tu acceptes les Richesses réelles que Je réserve pour toi.

7. — Alors, tu comprendras que tes affaires, ton travail ou ta position en cette vie ne sont que des incidents, c'est-à-dire, des moyens matériels que Je choisis et utilise pour te faire passer par certaines expériences que Je sais être

le mieux appropriées pour te donner cette perception, et aussi, pour vivifier en toi certaines qualités supérieures qui, maintenant, ne s'expriment encore qu'imparfaitement.

8. — Si seulement tu pouvais Me connaître et te rendre compte que Je vis ainsi en ton cœur et que Je t'accompagne à ton bureau, à ton magasin ou à ton travail quel qu'il soit ! Si tu Me laissais diriger tes affaires et tous tes actes. En vérité, Je te le répète, si tu pouvais faire tout cela, tu te rendrais compte, immédiatement, d'un nouveau pouvoir en toi. Ce pouvoir émanerait de toi comme une sympathie douce et délicate, une réelle fraternité, comme un secours aimant pour tous ceux qui entreraient en contact avec toi. Il leur inspirerait des principes plus élevés dans les affaires et dans la vie, créant ainsi en eux le désir de répandre une influence semblable dans leur milieu. Ce pouvoir attirerait à toi affaires, richesses, amis et une abondance de tout ce dont tu as besoin. Ce pouvoir te mettrait en relation avec les régions les plus élevées de la pensée, et te mettrait en état de voir clairement et de manifester consciemment tous Mes Pouvoirs et Mes Attributs Impersonnels, à chaque moment de ta vie.

9. — Et tu ne sentiras plus le besoin d'aller aux temples ou aux réunions religieuses, quel qu'en soit le genre, ni même de lire les enseignements de Mes Révélations, pour Me trouver et M'adorer.

10. — Au lieu de cela, tu rentreras au-dedans de toi, où toujours tu Me trouveras. La joie de communier avec Moi, de Me servir et de M'adorer ainsi sera telle, que tu ne te préoccuperas pas d'autre chose que d'écouter et d'obéir à Ma Voix, de sentir la ferveur et l'émotion de Mon tendre Amour, à mesure qu'Il t'envahira et t'entourera, en préparant le chemin et en adoucissant les conditions de vie, où que tu ailles et quel que soit ton travail.

11. — Je te ferai exercer une plus haute influence dans les milieux où Je t'enverrai, en attirant à Moi tous les hommes pour qu'ils reçoivent Mes Bienfaits par toi, maintenant que tu es capable de subordonner ta personnalité à Ma Sainte Impersonnalité, de telle sorte qu'ils t'oublient, toi, et ne voient seulement Moi, et qu'ils sentent Ma Présence dans leur propre cœur, allant ainsi en avant, portant une lumière nouvelle dans leurs regards et se sentant animés par un but nouveau dans leur vie.

12. — Dans vos foyers, surtout, Je demeurerai. Par ceux qui sont le plus près de vous, Je vous enseignerai beaucoup de choses admirables que, maintenant, vous pouvez comprendre, tandis qu'auparavant, vous vous révoltiez passionnément contre leur vérité. Par l'époux ou par l'épouse, par l'enfant, le frère, la sœur ou le père ; surtout par le tyran, le grondeur, l'égoïste. Je pourrai développer en toi ces grandes qualités de patience, de douceur, d'indulgence, de discernement dans le parler, de bonté désintéressée, du véritable altruisme et un cœur compréhensif parce que Je te ferai voir que Moi, au plus profond de leur cœur, J'oblige leurs personnalités à te donner exactement ce que ta personnalité demande, en raison des faiblesses qui existent encore en toi.

13. — Tu dois être maintenant en état d'apprécier ceci et d'en faire ton profit. Et, quand tu comprendras, réellement, cette grande Vérité, tu seras capable de Me voir en ton frère, en ton épouse, en ton père ou en ton enfant, recourant à toi avec des yeux aimants et affligés même si, dans l'emportement de la colère, ils te parlaient d'une manière égoïste ou impulsive. Au lieu de les blâmer, tu accourras au-dedans de toi, à

Moi, l'Un Impersonnel, Qui dira par toi de douces paroles de bonté désintéressée. Elles adouciront immédiatement le cœur de l'autre et vous réconcilieront, en vous rapprochant, encore une fois, et avec un lien bien plus fort qu'auparavant, parce que Moi, le Vrai Moi dans le cœur de chacun Suis Un et Je réponds toujours à qui s'adresse ainsi à Moi.

14. — Oui, si tu le savais, ta meilleure école et ton plus grand maître sont en ton propre foyer, auprès de l'âtre ! Beaucoup, beaucoup de choses sont réservées à ceux qui savent ceci consciemment et Me permettent à Moi, l'Un Impersonnel, qui réside au-dedans, de leur donner ces enseignements. Car, non seulement, Je t'indiquerai beaucoup de choses par la bouche de ceux qui sont auprès de toi, mais Je donnerai Mes Enseignements aux autres, d'une manière semblable, par toi. Cependant, avec cette différence : Si tu es conscient de Moi et qu'Impersonnellement, tu te confies à Moi et à Ma Sagesse, tu Me permettras alors de choisir tes paroles et de diriger tes actes. Tu ne te préoccuperas pas de l'effet qu'ils produiront sur les autres, ou sur toi, mais tu M'en laisseras toute la responsabilité.

15. — Quand tu pourras faire ceci, le changement qui se produira dans ta personnalité et dans celle des êtres que tu chéris t'émerveillera, jusqu'à ce que tu sois capable de Me voir, à travers leurs personnalités humaines, de Me voir, Moi, ton propre et intime Moi Impersonnel, Me refléter en leurs regards.

16. — Quand tu pourras Me voir ainsi, alors les Cieux s'ouvriront pour toi. Tu ne verras plus de défauts en ton frère. Tu n'entendras plus d'inharmonies autour de toi. Tu ne sentiras plus d'impressions de dureté venant de qui que ce soit. Car, tu sauras que Moi, l'Un Impersonnel, au-dedans de l'autre, Je Suis la source de toute perfection, de toute harmonie, de toute bonté désintéressées. J'attends seulement que la personnalité humaine le reconnaisse et qu'elle s'élimine pour laisser Ma Lumière briller et resplendir dans toute la Gloire de Mon Idée Divine.

17. — Alors, tu verras que toutes les conditions dans lesquelles Je te place, sont les lieux que J'ai choisis et où tu peux le mieux Me servir. En tous lieux et dans toutes les conditions, il y a beaucoup, il y a énormément à faire, car là où la personnalité trouve le plus d'objec-

tions, c'est là que Ma Présence Vivante est la plus nécessaire.

18. — Quand le réveil viendra, où que tu sois, quelle qu'ait été ton instruction : dans le commerce, les professions libérales, le travail manuel, l'église ou les lieux dégradés, là sera, peut-être, ta meilleure chance de Me servir, puisque tu en connais la manière et les coutumes. Car, Mes et tes autres « Moi », comment peuvent-ils s'éveiller à la connaissance de Ma Présence, existant au-dedans d'eux-mêmes, sans l'influence vivifiante, qui doit venir d'abord du dehors ? Toi qui as reçu, tu dois donner. Toi qui as été éveillé, tu dois éveiller les autres. Tu dois apporter en ces affaires, en ces professions, en ce travail, en ces lieux dégradés, Ma Présence Vivante. Tu dois ouvrir les portes aux cœurs attristés et malades et laisser Ma Lumière et Mon Amour Salutaires se répandre. Tu dois fournir le levain qui fera lever la masse. Si ces conditions doivent être améliorées, toi, Mon Enfant, qui es réveillé, tu dois apporter à Mes Enfants égarés et ignorants Mon Inspiration, Mes Bienfaits et Ma Force, pour qu'ils puissent se lever et rejeter loin d'eux l'influence des habitudes du monde, prêter l'oreille à Ma Voix Inté-

rieure pour que, désormais, ils puissent être maîtres des conditions qui les entourent, et non en être les esclaves. Dans la vie, aucune condition ne peut être dominée en la fuyant. Le contact Divin est nécessaire et doit être donné. Mais, seul celui qui a sondé les profondeurs et gravi les hauteurs de l'expérience humaine, peut le donner en Me prenant pour Guide et Interprète.

19. — Toi qui lis et dont l'Ame comprend, tu es bienheureux et ta tâche est tracée devant toi.

20. — Par contre, toi qui hésites encore, pendant que ta personnalité tremble de terreur, en même temps que la Lumière filtre à travers ton intellect voilé, toi aussi, tu participeras bientôt à Mes Bienfaits, car Je te prépare, rapidement, pour la joie qui t'attend.

21. — Mais, tous deux, toi qui comprends et toi qui crains, sachez que même maintenant Je manifeste Ma Volonté par vous. Le temps viendra assurément, où vous ne connaîtrez plus d'autre Volonté que la Mienne. Toutes les choses que vous désirez se réaliseront. Vous vous réveillerez alors entièrement de votre songe de séparation entre Moi et vous et vous Me reconnaîtrez comme le Vrai et Unique Moi Intime.

22. — Cependant, il ne pourra en être ainsi

aussi longtemps que tu ne te seras donné toi-même, avec tout ce que tu possèdes, entièrement à Moi et qu'il ne restera plus rien de ta personnalité humaine qui puisse faire naître chez autrui la moindre pensée, le plus léger sentiment d'inharmonie, par quelque acte ou parole venant de toi.

23. — Tu seras alors dans un état de perpétuel bonheur. Partout, où tu iras, Ma Lumière brillera et Mon Amour irradiera autour de toi, créant la Paix, la Concorde et l'Unité. Et le grand fait sera non pas grand, mais naturel quand tu auras compris ces vérités et que ceux qui t'entourent seront meilleurs et plus heureux en raison de ton apparition dans leur vie.

24. — Car le JE SUIS en eux, tout en étant encore dans la chair, a perçu en toi un moyen ou une voie d'expression véritablement Impersonnel et donc, pressent, bien que la personnalité en soit inconsciente, la Gloire et la Sainteté de Ma Vie Impersonnelle.

# TABLE DES MATIERES

Imprimerie Bosc Frères - 69600 Oullins - Dépôt légal no 8775 - Juin 1991